続けるほど、毎日が面白くなる。もっともっとマイノート

OURHOME
Emi

大和書房

夕飯後、ソファーに座ると、スマホに手が伸びる。なんとなくＳＮＳを見て、なんとなく「いいね」をする。そういった時間もときには必要だけれど、わたしは心がざわざわしたり、ゆっくり考えたいときは、スマホを見る手をとめて、17年間70冊書いてきた自分の「マイノート」を数冊取り出します。そこには、日々の積み重ねの記録がたくさん。育児中の小さな気づき、仕事で向き合いたいこと、テレビを観て気になったフレーズ。ジャンルを問わず、1冊にすべてまとめたノートが「マイノート」です。重ねてきたノートの数だけ、自分なりに人生を歩んできたかな、と思えます。こんな時代だからこそ、あえてノートとペンで。今日からでもはじめられる「自分を見つける」方法です。

19

マイノートを続けるといい4つのこと

1 冊数が増えるほど自分に自信がもてる

「毎日何もしていない気がする」「あっというまに一年が終わった」そんなふうに思うことはありませんか？　でも、日々の気づきを貯めたマイノートがあれば、目に見えてページや冊数が増えていきます。すると、そのぶんだけ、「わたしはぼーっと生きているんじゃなくて、毎日の大切なこと、興味のあることを貯金できている」と、自分に自信をもつことができる気がするのです。

2 人と比べなくなる

ＳＮＳが溢れる時代。誰かと自分を比べて落ち込む人も増えているかもしれません。でも、マイノートを開けば、自分自身の成長の記録を見ることができます。入社してすぐの頃の悩みと、数年後の悩みはきっと違うはず。子育てだってそう。子どもの夜泣きに悩んでいた頃と比べると、成長してからの悩みは大きく変わっていることでしょう。わたし自身も誰かと比べてしまいそうになったときは、マイノートを開いて自分の昔と今を比べ、成長を感じるようにしています。

3

アイデアをすぐに出すことができる

「次の旅行、どこ行きたい？」「あの子の誕生日プレゼント、何がいいかな？」アイデアを求められる瞬間は日常の中でたくさんあるはず。そんなときにネット検索……ではなくて、ぱらぱらっとマイノートを見返し、自分がいいと思ったものや、行きたい場所がストックしてあると、さっと答えを出せるようになるんです。「この人に聞いたらいろいろなアイデアがもらえそう！」そんなふうに思ってもらえるきっかけもマイノートから生まれます。

4

毎日が面白くなる

マイノートを書きはじめると、目の前の環境は変わっていなくても、意識が変わり、「面白いことや気になることは毎日の暮らしの中にいっぱいある！」と感じはじめます。真っ白なノートを埋めたくなって、いろいろ考えよう、調べよう、という気持ちも生まれます。するとおいしいお店やタメになる本などが目につきはじめ、いつのまにかいい情報がたくさん入り、気づけば、「毎日面白いな！」と感じるように。

モヤモヤがある人は、マイノートで確実に何かが変わる

うまくいっていることばかりで悩みがまったくないとしたら、素晴らしくうらやましい人生！　もしそうだったら、マイノートをあえて書く必要はないと思うんです。でも、たとえば、仕事でうまくいかないことが多い、いつも人間関係でトラブルに巻き込まれてしまう、自分のやりたいことが思いつかない、なんとなく生きてきた気がするけれどこれからどうしよう……。そんなことがあれば、ぜひマイノートをおすすめしたいです。自分が立っている場所は変わっていないのに、自分のアンテナや心の持ちようが変わるだけで、「こんなにもまぶしい景色が目の前に広がっていたんだ！」と気づく瞬間がきっと訪れます。ペン1本と、ノート1冊で、「自分はこんな人だったんだ！」と知ることができるはず。

自分のことは
自分にしかわからない。
だから自分でみつけていこう！

今の時代にデジタルではなく手書きにする理由

よく「デジタルではだめですか？」と聞かれます。わたしも一度挑戦したことがありますが、整列したフォントを見返しても、まったく心が動きませんでした。走り書きの字、ノートの余白、前後の内容、そのすべてが一瞬で感情を蘇《よみがえ》らせてくれるんだと気づきました。マイノートは見返すことで自分のものになっていきます。そのときに、楽しい、なるほど、面白かったと、もう一度思えるのは、手書きの質感だからこそだと思うのです。また、デジタルは検索が簡単です。でも逆に言うと、検索した「それだけ」しか出てきません。実際は、一見関係なさそうなことの点と点がつながってアイデアになっていくことが多く、あえてアナログにしておくほうがメリットがたくさんあります。

デジタル

整列したフォントを見返しても
心が動きにくい

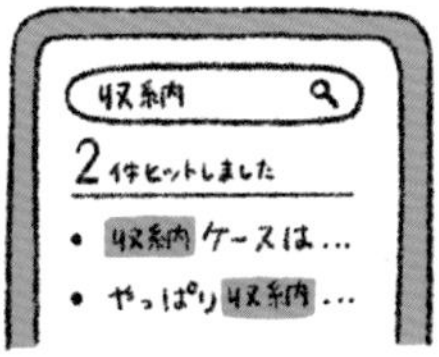

検索したピンポイントな
情報しか見つからない

手書き

書いた字の躍動感で
当時の感情が蘇る

関係ないように見えることが
つながってアイデアになる!

マイノートは「心の貯金通帳」

みなさん、余裕があれば貯金をされますよね。貯めたお金は、老後の資金や孫への贈り物に……。でも、すべての使い道が決まっているというより、いつか自分に役立てるためと考えている方が多いと思います。マイノートはまさに「心の貯金通帳」。すぐは役立たないかもしれないけれど、「今感じた素直な気持ち」の貯金がいつかの自分のためになるのです。わたしはまさか自分が起業してスタッフ18人をマネジメントするようになるとは思ってもいませんでしたが、会社員時代の上司の言葉の貯金を引き出してスタッフに伝えたり、双子の育児エピソードの貯金を引き出し、ブログや出版を通してたくさんの方にお伝えしたりしています。みなさんもぜひ「心の貯金通帳」をいっぱいにしてみませんか？

書いてあるのは、心が動いたことだけ

08
すべてのジャンルを1冊にまとめる

勉強と同じ。人生も復習が大事

学生の頃、「予習よりも、復習が何より大事」と習いました。「今の自分はこれが得意。でも、これは苦手だからしっかり勉強しよう」。もしくは「得意なことを活かして受験勉強を進めよう！」でもいい。とにかく、復習をして今の自分の理解度がわかれば、取りかかるべきところは明確でした。思えば、人生も同じことのような気がしています。

仕事でも趣味でも、新しいことを始めるとき、「どうやったらうまくいくか？」を先に検索する方が多いのではないでしょうか。いわゆる

「予習」です。でも、それは「誰かのうまくいった方法」でしかないはず。わたしは、自分の経験こそオリジナルで、うまくいかなかったことも、うまくいったことも、そこから次に活かしていくことがよっぽど近道だと感じるのです。

　わたし自身、「自分が得意なこと、本当に好きなもの、過去にうまくいった仕組み」を知ることで、とても生きやすくなったなと感じています。

　人生の夢を描くばかりではなかなか思うように前に進まないけれど、自分が得意なことや本当に好きなもの、過去にうまくいった仕組みを知っておけば、とてもラクに、向かうべき道がするすると見えてきます。

マイノートを書くと、心が落ち着く

何かを書くという作業は、心を落ち着けることにつながるそうです。22歳ではじめた「マイノート」はもうわたしの体の一部のようなもの。飲み会での先輩の話、疑問に思ったこと、ドキュメンタリーを見て感動した理由。ＳＮＳを見ても、「どうしてこれがいいと思うのかな？」を考えて書くように。「何かを経験する、感じる」ことと「書き残す」ことがいつのまにかセットになっています。

「書くのは面倒だなぁ……」と思う日もあります。それでも、せっかくした経験、せっかく感じた気持ち、残さないと本当に忘れてしまうんですよね。頭のキャパシティには限りがあるから、考えていることを一度ノートに出して、また新たに感じる頭と心の余白をつくる、そんなイメージです。

思えば、たくさんの情報が溢れる現代社会の中で、わたしはマイノートを書きながら、自分の真ん中に帰ってくる、そんな感覚です。落ち込んでも、ものすごくハッピーなことがあって舞い上がりすぎそうになったとしても、「マイノートに書き残す」ことで、忙しい日々の中で、自分という真ん中の軸に戻ってくる、とても大切な時間です。

書いててよかった！

みんなのマイノートepisode

マイノートを知って書くことのハードルが下がりました。日記だと「今日あったことを毎日書かなきゃ」と思っていましたが、マイノートなら書かない日があっても気にしなくなり、どんなことでも縛られることなく書くようになりました。そして一番違うのは「どう感じたか」を書くようになったことです。出来事だけでなく気持ちを書くようになったことで、自分を少しずつ肯定できるようになってきました。あと、お出かけのときは「家を出た時間、混雑した道、持ち物、あったらよかったもの」などを書いています。再びその場所に行くときに過去のページを読み返すと参考になり、「ありがとう過去のわたし！」といつも思います。

（みるにゃんさん／マイノート歴８年／９冊目）

今年妊娠がわかり、急遽仕事を辞めなくてはならなくなりました。急にぽっかりできた時間が寂しく、在宅でデータ入力の仕事などを始めようかなと思っていたとき、3年半分のマイノートを読み返しました。そこには、いつかイラストを描くことを仕事にしたいこと、起業やビジネスに関連する読書の記録、こんなイラストを描きたいという熱い思いが綴ってありました。「そうだ！ 今までとれなかった、まとまった時間がやっとできたんだ！」と夢をつかむチャンスに気がつきました。妊娠中、体調を崩したりでなかなか思うように進んでいませんが、今イラストの練習をしたり、関連のオンライン講座を受けたり、毎日充実しています。

（Kさん／マイノート歴３年／９冊目）

1年前、娘を出産しました。出産の気持ちをマイノートに書き留めていて、見返すとあのときの特別な気持ちが蘇って幸せな気持ちになります。また、ママ友との付き合いもはじまりました。「いいな」と思う人が、ノートをつけているおかげではっきりわかるようになりました。いいことは「早くノートに書きたい！」と、悪いことは「作戦会議したいわ！」となっています。今までは割と厄介な人に絡まれることも多かったわたしですが、ノートのおかげで変われていると思います。

（OURHOMEファン♡さん／マイノート歴1年／4冊目）

人付き合いでモヤモヤしたときにマイノートに書き出していたら、その出来事や自分の気持ちを客観的に見ることができました。モヤモヤの原因は、自分の伝えかたが下手だったこと、苦手だと思う人こそ仲良くしたい人であること、指摘されてイヤだと思うことは自覚があり直したいと思っているところだったこと、自慢話に聞こえてしまうことは、とてもうらやましく思っているからだったこと（恥ずかしい話ですが……）などなど、たくさんの気づきがありました。気づいたことにより、自分の気持ちも少しずつ変わり、いろいろな年代の方々と一歩踏み込んだお付き合いを楽しめるようになりました。

（Yさん／マイノート歴5年／15冊目）

育休中、2児の育児でなかなか思うように時間がとれず、夫にイライラしてしまったり、一日中家にいると「わたしの幸せってどこにあるんだろう？」と考えてしまうことも多かったのですが、隙間時間にマイノートをつけると、「マイナスに捉えてしまいそうな何気ない毎日が幸せなんだ」と改めて気づけて（上の子がむいたゆで卵の殻が落ちていたことや、下の子が散乱させたおもちゃもいっぱい楽しんだ証拠だと愛おしくなったり）。またそのとき感じたことを手紙にして夫に渡せたんです。そしたらすごく喜んでくれて、「同じ価値観を共有してふたりで子育てを頑張ろう」となれました。以前より一日一日を大切に過ごせている気がします。

（Kさん／マイノート歴1年／1冊目）

30代、2児の母です。3年前に下の子が病気になってから、マイノートをはじめました。その日食べたメニューや、イベント、子どもの様子など生活記録がメインです。再発しやすい病気のため、最初はどうしたらいいのかわからずそのたびに落ち込んでいましたが、マイノートを続けて読み返すことで、過去の生活スタイルがわかってきました。最近は、どんなことに気をつけていたら体調良く過ごせるのか、逆に何をしたら子どもの身体に良くない影響があるのか、日々の生活の中でできることがわかって、とても助かっています。

（Oさん／マイノート歴3年／4冊目）

＊本書制作にあたり204名の方にお寄せいただいたアンケートの中から「マイノートを書いててよかった！」エピソードを抜粋し、掲載させていただきました。

はじめに

新卒で入社した通販会社では、商品企画の仕事を通してたくさんの出会いや経験をさせていただきました。当時、仕事のアイデアノートとしてはじめたのが、「マイノート」です。雑誌や新聞を見て感じたこと、ドラマに映った家具のメモ、新婚時代の暮らしづくり。たくさん貯めたものを、「せっかくなら」と綴ったのが、25歳ではじめたブログ「OURHOME」です。当時は20代で片づけに興味があるのが珍しいと声をかけていただき、メディアにもたくさん取り上げていただきました。その後双子を出産し、仕事復帰をしたものの、働き方に悩み、結局30歳で退社の道を選ぶことに。

そこから10年、今では兵庫県西宮市に夫婦で会社を立ち上げ、オリジナル商品企画、オンラインショップ、実店舗運営に加え、レッスン運営や企業プロデュースなど、多岐にわたる仕事をしています。おかげさまでスタッフは18名となり、同じく著書も18冊目となります。

今の人生があるのは、気づきやアイデアをストックしてきたマイノートのおかげだと思っています。


その書き方をまとめた『わたしらしさを知る　マイノートのつくりかた』（大和書房）の出版から4年半。続編となる本書では、基本をおさらいしつつ、さらに深めた書き方や活用の仕方をお伝えしたいと思います。また、マイノートは「人生に役立つ！」という実感をもてると長く続けていくことができます。そこで今回は「仕事に役立つ」「子育てに役立つ」など「効きめ」別に章を構成しました。

この本を手にとってくださったみなさまが、「自分のことをもう少し深く知ってみよう」「こんなふうに役立つなら、はじめてみたい」と思ってくださったらうれしく思います。

Contents

2 マイノートで自分がわかる 51

3 マイノートで生きやすくなる 65

7 マイノートで子育て・夫婦関係が変わる

1

マイノートの
つくりかた

心が動いたことを残す

マイノートの基本ルール3

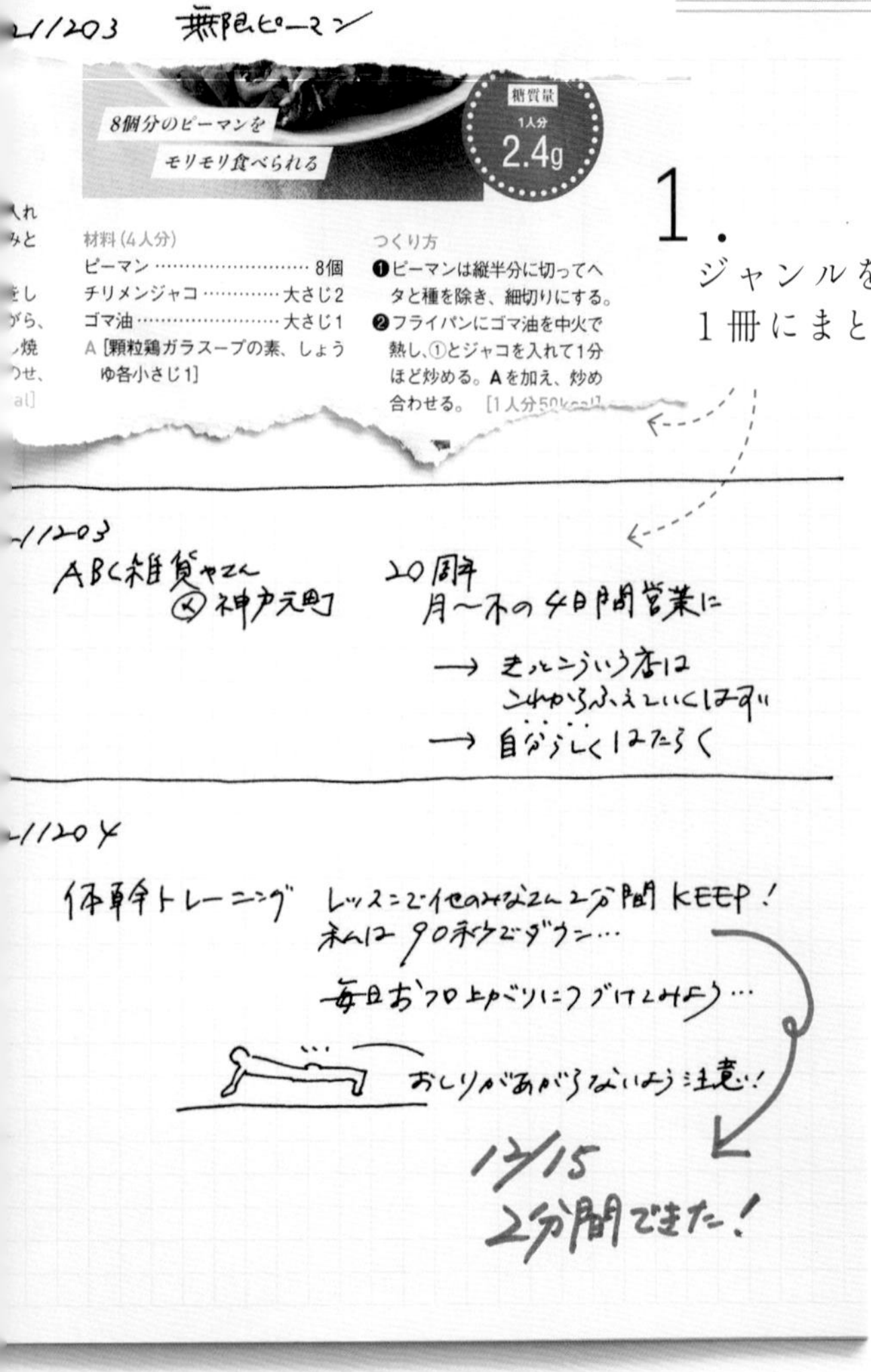

1.

ジャンルを分けず
1冊にまとめる

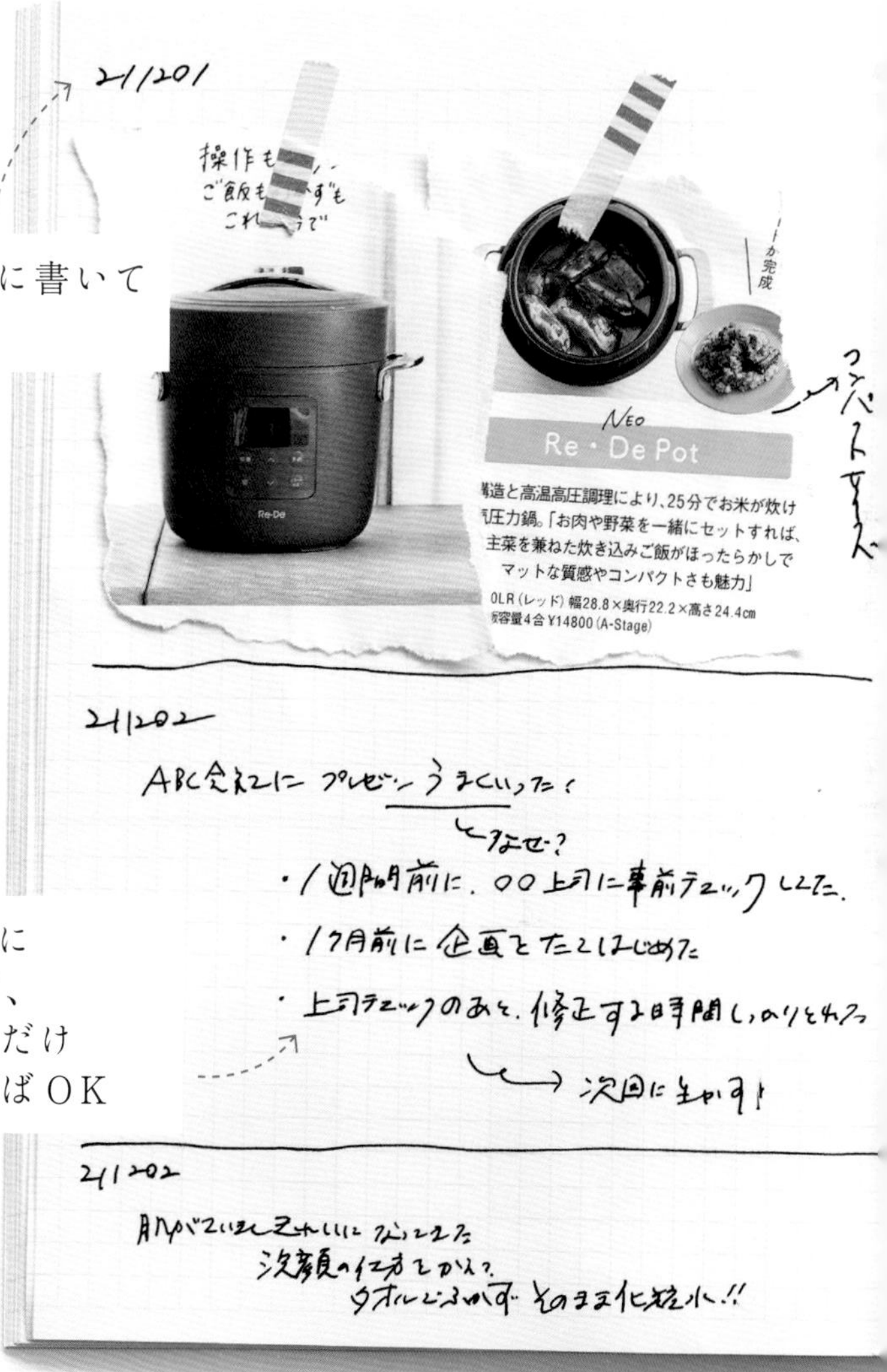

2.
日付順に書いていく

3.
きれいに書かず、自分にだけわかればOK

ノート選び

モチベーションが上がるのは「薄いノート」

ノートは手に入りやすいものでいいのですが、おすすめは薄いノート。わたしは1冊40ページほどのものを使っています。薄いノートは1冊書き終えるのに時間がかからず、やる気が続きやすいのです。「分厚いノートがなかなか終わらない」よりも、「40ページのノートが3冊終わっている」ほうが、達成感がありますよね。ぜひ薄いノートから始めて自信をつけてみてください。

　サイズは、コンパクトでかつ携帯しやすいのはA5です。持ち歩きの必要がなければ大きめのB5でも。どちらにしても、サイズはひとつに決めて揃えると並べたときにすっきりします。

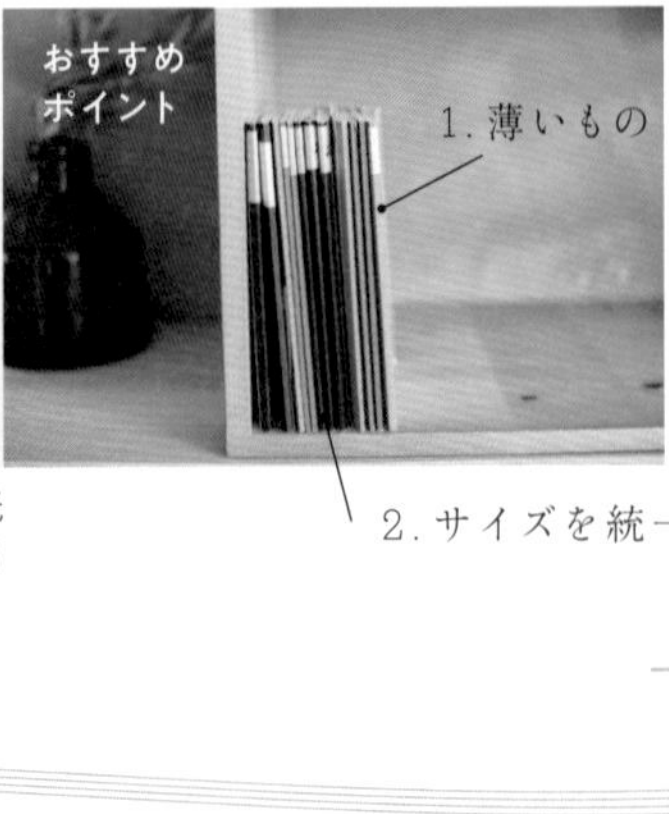

2.サイズを統一する

わたしが使っているのはこれ

「コクヨ キャンパスノート（方眼罫）A5」。方眼紙は線を引くのが簡単！ 雑に書いても、すっきりきれいに見えます。

ペン選び

色の濃いペンで書くと見返しやすい

わたしがマイノートを書くときに愛用しているのは、書き味がよくインクが濃いPILOTの「Vコーン」。時々違うペンでも書きますが、ノートを見返すと色の濃いペンで書いた字のほうがパッと目に飛び込み、そのぶん記憶に残りやすいなと感じています。ただ、ペンについてよくご質問いただくのですが、字が消える可能性のあるもの以外なら究極はどんなペンでもOK！　モノにこだわらず、思い立ったらすぐ書けるほうが大事です。わたしは「書こう」と思ったらどこでもすぐ書けるように、バッグの内ポケットや手帳の間など、とにかくいろいろなところにペンを挟んでいます。

わたしが使っているのはこれ

なめらかな書き味で昔から好きな「Vコーン（極細）」。フタのいらないノック式が出てさらに完璧！　ここ数年は青インクがお気に入り。

おすすめポイント

1. 消せるペンではない

2. 字が濃くて読みやすい

書きかた1

ジャンルを分けない！ すべて1冊にまとめる

「仕事」「インテリア」「レシピ」「育児」……。ジャンルごとにいろいろなノートをつけたくなる方もいらっしゃるかもしれません。でも、「書こう！」と思ったときに「あのノートがない」「このノートがない」と捜すことに時間を使うことになるともったいない！ 進めるにつれ、「これはどっちに書く？」と迷いも出てきます。「ノートが1冊にまとまっている」ことは、ここに書けばいい！ という安心感を与えてくれます。また見返すときにさまざまなジャンルの情報が一度に目に入ることで、いろいろなヒントが得られます。

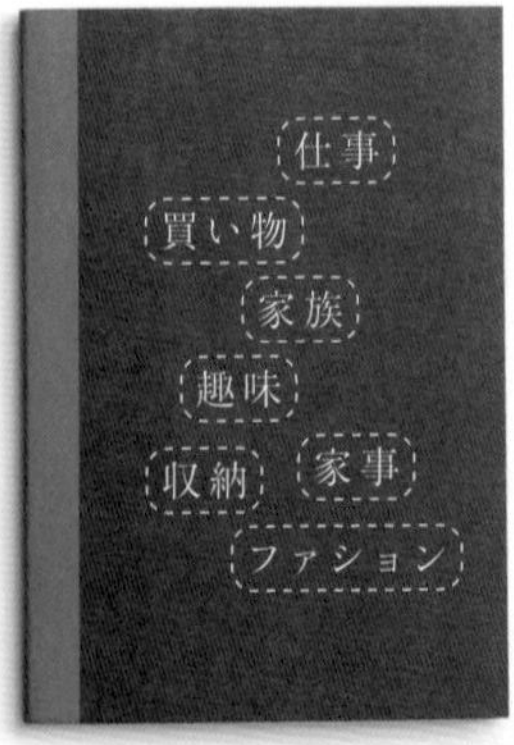

書きかた2

日付を6桁で書く

あとで見返すときに日付があるとわかりやすく、とても大事なので、必ず書きます。素早く書くには、西暦の下2桁+月+日を6桁の数字で表す方法がおすすめ。例えば2021年12月1日なら「211201」となります。

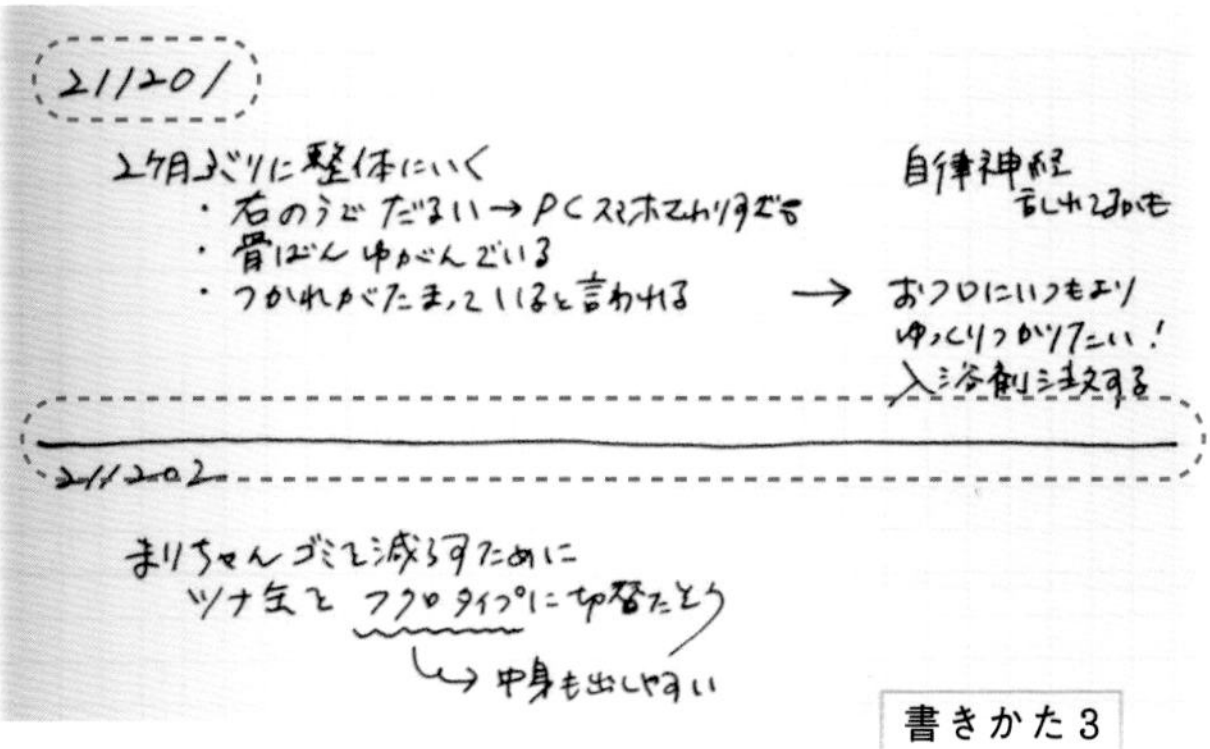

書きかた3

仕切り線を入れる

トピックスが変わったら、そのつど線を引いて仕切りをつけます。こうすると見返したときに話題の切り替わりがパッとわかりやすい！　わたしは仕切り線を入れるたびに、同じ日でも日付を入れ直します。

書きかた4

書くのは、「心が動いたこと」

「今日、心が動いたことは？」と聞かれても、パッと頭にイメージできる方は少ないかもしれません。わたしは、「なるほど！」「モヤモヤ……」「感動！」「すごいな～」「イラッ」。こんなふうにフラットな気持ちの状態から急にグイッと心の針が振れた瞬間を「心が動いたとき」と呼んでいます。きっとみなさんも普段の生活の中で同じように感じる瞬間があるはずなのですが、「どうしてそう思ったのかな？」や、「いつもと違うこの心の動きをメモしておこう」とはなかなかならないですよね。でも、同じ景色や同じテレビを観ていても、心が動く人もいればそうでない人もいる。その瞬間にこそ、「自分らしさ」が表れていると思うのです。

マイノートのつけはじめは、「心が動いたとき」の感覚がなかなかつかめないかもしれません。でも、1冊書き終える頃には、きっと「あっこの感覚！ノートに残したい」と思えるようになっているはずです。

時々いただくご質問の中に、「マイノートを見返しても、たいして面白くないんです」というお声があります。よく伺うと、「これを貼っておけば見栄えがいいかな？」「これは書いたほうがいいかな？」と、本当に心が動いたことというよりは、誰かの目を気にしたり、ＳＮＳで見かけたノートをマネしてできあがったものでした。わたしは17年間70冊のマイノートを書いてきたのですが、自分のフィルターを通して、本当に「心が動いたこと」を残していれば、あとで見返したときにまた心がわくわく動くのです。ぜひみなさんも、「本当にそれは心が動いたこと？」と意識してみてください。

〝心が動いたこと〟たとえばこんなこと

- ピンときたこと
- わくわくすること
- なるほどと思ったこと
- すごい！ と思ったこと
- 泣きそうなくらい感動したこと
- なんで？ と思ったこと
- モヤモヤしたこと
- イライラしたこと
- ドーンと落ち込んだこと
- びっくりしたこと ...etc.

書きかた5

魔法の1本線を引いて「事実」と「感想」を分けて書く

「10冊以上マイノートを書いているものの、〝自分らしさ〟がわからないんです」とおっしゃる方も。中身を拝見すると、雑誌の切り抜きやニュースのメモ、おしゃれなパンフレット、たくさんの内容があるものの、それらはすべて「情報集め」になっているな、と感じることがあります。もちろん集めることでどんなことに関心があるのか見えてくるのですが、もう一歩踏み込むために、ノートの真ん中に、「魔法の1本線」を引いてみてください。そして左右に「事実」と「感想」を分けて書いていきます。

左は「事実」（情報の要約、出典）
右は「感想」（自分の考えを書いたり、行動に落とし込む）

誰かの話を聞いたとき、ニュースを見たとき、まず左側に内容を書き、右側には自分フィルターを通して感じたことや、行動に落とし込むことを具体的に書いていきます。真ん中に線を1本引くだけで、とても不思議なのですが、「右側の空白を埋めたい！＝自分の考えを生み出したい」という気持ちになってきます。

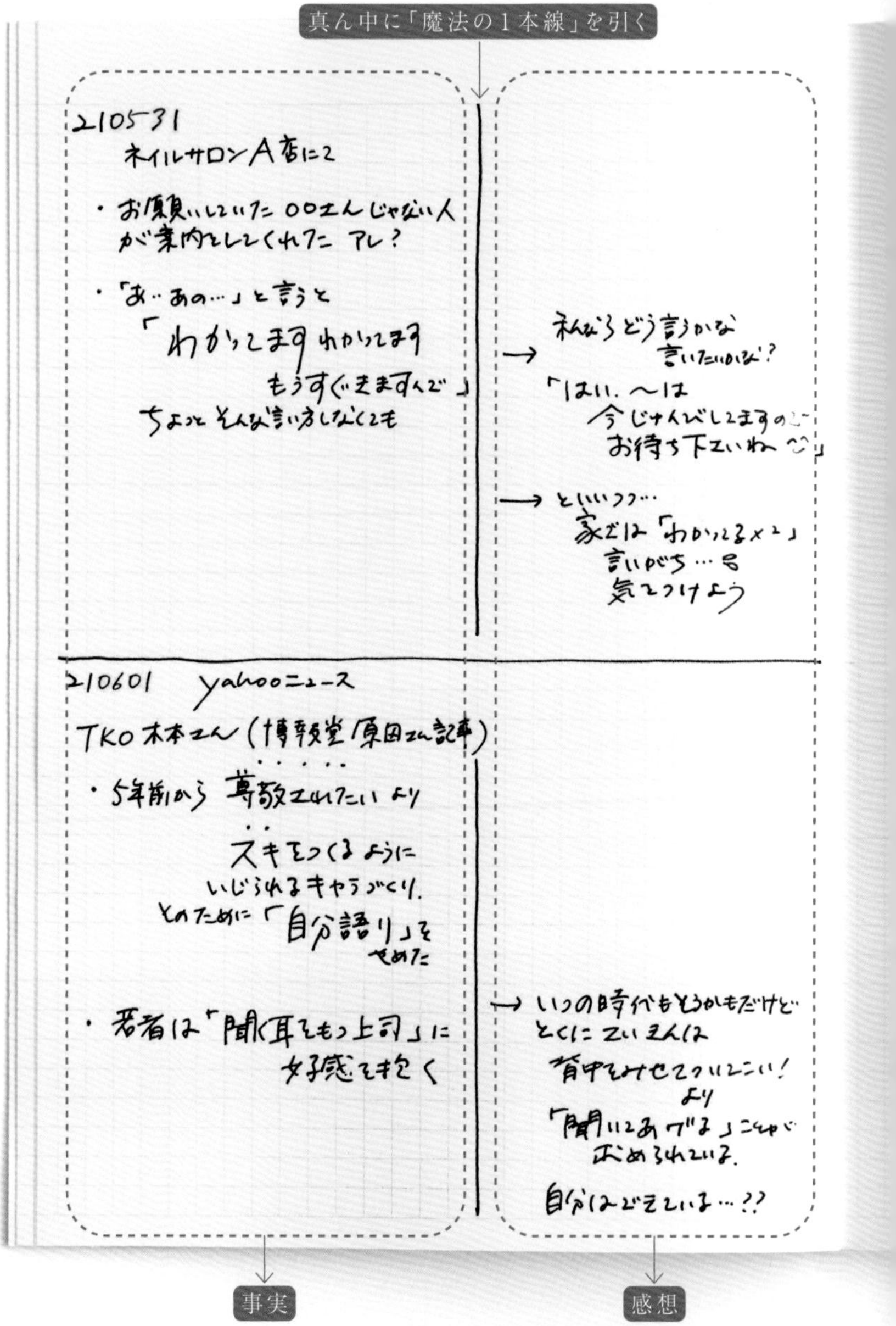

（情報の要約、出典）

（自分の考えを書いたり、行動に落とし込む）

書きかた6

キーワードを書いておけば あとで調べられる、深められる

気になる情報に出合っても「新聞や雑誌の切り抜きを貼るのはちょっと面倒……テレビを観ても内容をメモするのは大変！」もちろんわたしもあります。内容がびっしりで要約する時間がとれない、というときは、その記事の「タイトル」や、出てくる人の「名前」「会社名」「キーワード」だけ書いておけば、あとからいくらでも調べることができます。

わたしが最近テレビを観てメモしたのはこんなこと。

「珈琲とコインランドリーのお店　ハレ」

急いでいるときにテレビからパッと目に飛び込んできた古いビルをリノベーションした素敵なお店。店主の女性も魅力的です。そのときはノートを開いてお店のことを調べたりする時間もなかったので、パッと「お店の名前」を走り書き。

そのすぐあとに時間がとれることもあれば、数ヶ月後にノート

を見返し、「この方のことをもっと知りたいな」とまた心が動いたときに、お名前や固有名詞を正式な表記でメモしていれば、検索して深めることができます。ちなみにその後、わたしはそのお店を検索し、インスタグラムをフォローし、友人にシェア。そうしたらちょうど友人も気になっていたようで、「今度遊びに行ってみよう！」と計画中です。

どうしても時間がない！　というときは、具体的な固有名詞のメモだけでも十分！　マイノートを無理なく続けていくには、キーワードだけ残したり、エピソードの要点だけを書き出したりと、情報をぎゅっと短くするテクニックがとても大事になってきます。

長い文章で書いたものもそれはそれでいいのですが、見返すのに時間がかかります。情報のエッセンスを凝縮すれば、書くのも読むのもラク。取りかかるハードルが下がります。

貼りかた

貼ったほうが、「早いもの」「より思い出せるもの」を貼る

マイノートに貼るのは、書くより貼ったほうが早いもの。新聞や雑誌の切り抜き、メールなどがそうです。たとえサイズが大きくても、折りたたんだり一部を切り取ればたいていのものは貼れます。もうひとつは、貼ったほうがより思い出せる、というもの。たとえばおみくじは、内容を書き写すより紙ごと貼ったほうが情景が蘇りやすいですよね。また、紙モノは貼ることでノートに抑揚を出す効果も。ビジュアルが入ることで周辺の情報と紐《ひも》づけて覚えやすくもなるので、わたしは本の挿絵のような感覚で貼っています。

貼るのは、たとえばこんなもの

- 新聞記事
- 雑誌・フリーペーパーの切り抜き
- 子どもがつくった折り紙
- 子どもの学校からのお便り
- ショップカード
- プリントしたメール
- チケット
- 手紙
- 写真
- 名刺
- レシピ
- おみくじ...etc.

どんなサイズでも貼れる！ 貼り方の3テクニック

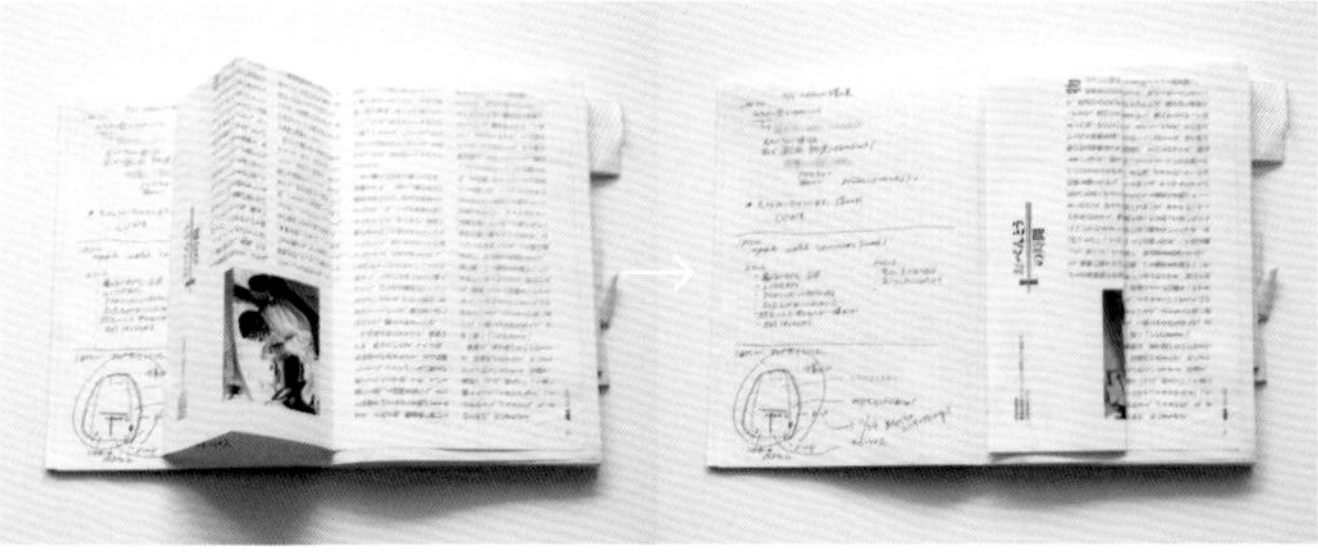

1. 折りたたんで貼る

大きな紙は余白を少しカットして三つ折りなどにして貼ります。中身が見えるようにたたむのがコツ。

3. 9つまとめてスクショして印刷

写真をこまめに貼るのは難しいので、わたしはプリンターでまとめて印刷！ スマホのカメラロールに「好きなもの」フォルダをつくり、9つまとめてスクリーンショットを撮って印刷。

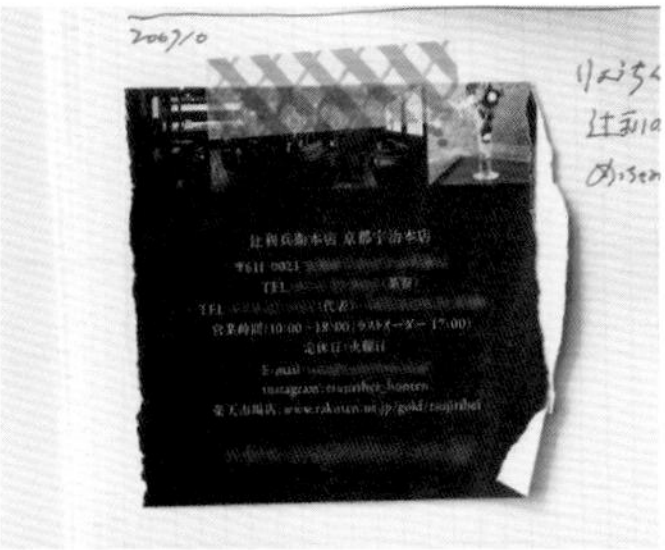

2. 一部だけ貼る

ノートより大きいものは、一部だけ切り取って貼る方法も。全部貼らなくても必要な情報がわかればOKです。

表紙のつくりかた

ナンバリングと日付、ビジュアルで見返しやすく

70冊もあるわたしのマイノート。でも、見返したいページにアクセスするのにそれほど困っていません。まず70冊すべてにナンバーをつけ、雑誌のバックナンバーのように並べやすく。そして、表紙にはステッカーやポストカードを貼ってビジュアルで覚えやすくしています。

また、表紙にはノートを使用した期間の年月日も太いマジックで大きく書きます。こうすると中身を見ずに時期がわかります。たとえば「2年前の出張に何を持っていったかな?」と思ったら、表紙を見て、「だいたいこのへん」とあたりをつければすぐに情報を探し当てられます。

ちなみに収納はこんなふう

70冊あるノートは、いつでも見返せるように、クローゼットの一角にあるスチールラックの一番上の段に並べています。

見返しやすい表紙づくりのルール

1.ナンバリングする

2.使用開始～終了の「年月日」を書く

3.覚えやすいビジュアルにする

見返しかた

見返すと「心の貯金」が人生に返ってくる

落ち込んだとき、アイデアが湧かないとき、夜のリラックスタイムに。わたしは雑誌を読むような感覚でマイノートを見返します。そのときの自分にぴったりの言葉に出合えることもあれば、「この初心を忘れていたな」と思い出させてくれることも。

マイノートは「書く」ことも大事ですが、むしろその本質は「見返す」ことにあります。はじめに「マイノートは心の貯金通帳」と書きましたが、お金と一緒で貯めるだけでは意味がなくて、有意義に使うことで人生に返ってくるものがあります。気になっていることも、頭の中で考えるだけではなくノートを開いて目に触れることで、より意識するように。

昔のノートを開くときに、いつも書いている色のペンとは違う色のペンを持って見返すのもおすすめです。たとえば「ここに行きたい」と書いていたお店に行けたなら、マルで囲んで「行けた！　〇〇がおいしかった」などとコメントも書きます。赤ペンで自分にマルをつけるつもりで、ぜひ試してみてくださいね。

ついスマホを手に取りそうになったら……マイノートを見返す！ 棚からその日の気分でパッと手に取って開きます。

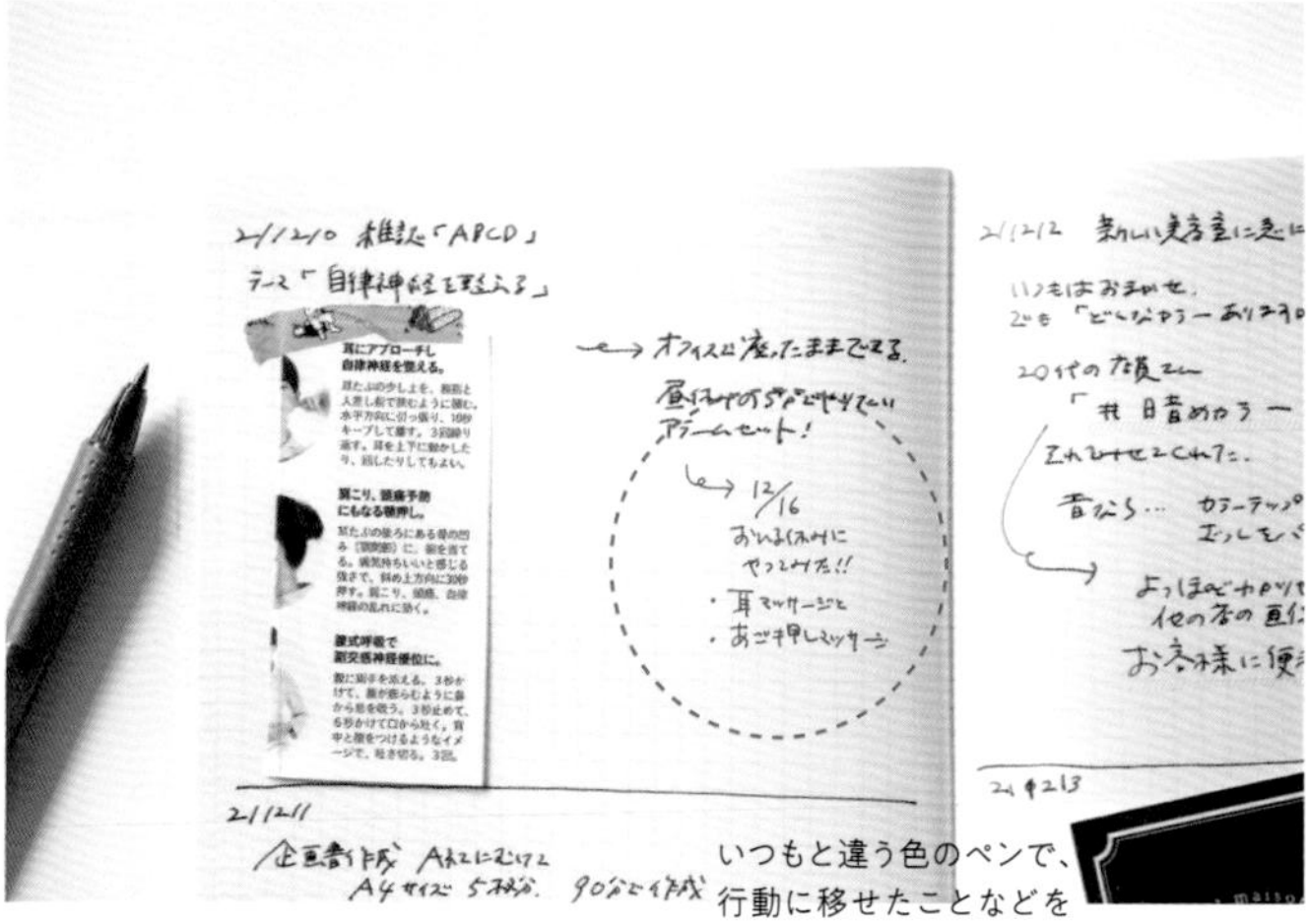

いつもと違う色のペンで、行動に移せたことなどをメモ。書きたいことが多ければ新しいページに書くのもOKです。

わたしのマイノートから 1

最近のわたしのマイノートの中身を、リアル大公開！

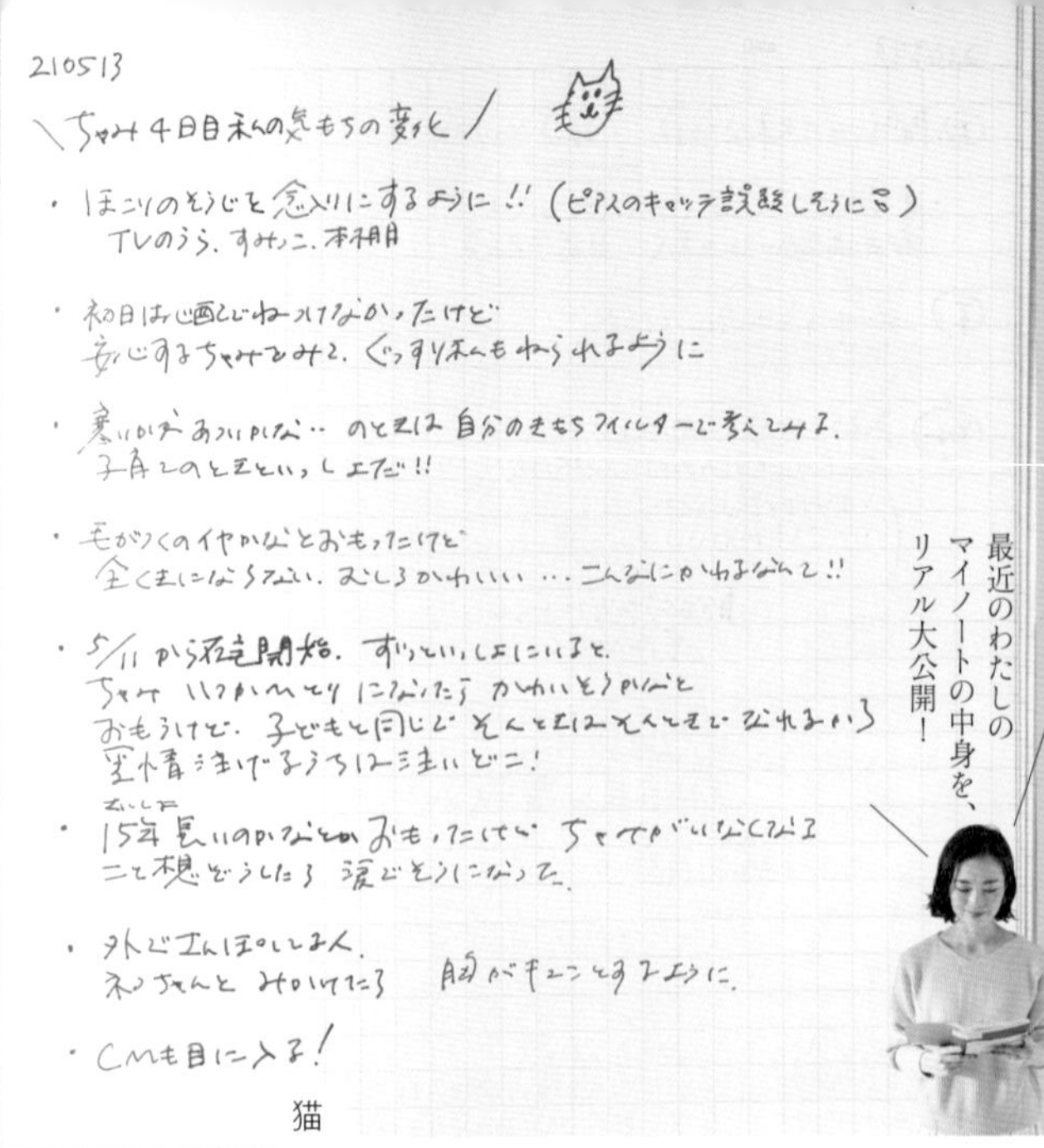
210513
＼ちゃみ4日目私の気もちの変化／
・ほこりのそうじを念入りにするように!!（ピアスのキャッチ誤飲しそうに）
TVのうら、すみっこ、本棚
・初日は心配でねつけなかったけど
安心するちゃみをみて、ぐっすり休むもねられるように
・寒いかあついかな…のときは自分の気もちフィルターで考えてみる。
子育てのときといっしょだ!!
・毛がつくのイヤかなとおもったけど
全く気にならない。むしろかわいい…こんなにかわるなんて!!
・5/11から在宅開始。ずっといっしょにいると、
ちゃみ いつかべったりになったらかわいそうかなと
おもうけど。子どもと同じでそんときはそんときでなれるから
愛情注げるうちは注いどこ！
・15年長いのかなとかおもったけど ちゃみがいなくなる
こと想像したら 涙でそうになった。
・外でねこほしいとみんな
ねこちゃんとみかけたら 胸がキュンとするように。
・CMも目に入る！

猫

今年迎えた子猫のchami。わが家へ来て4日目のわたしの気持ちの変化を記録。当時の感情を数ヶ月たって読み返すと、今、chamiがものすご～く生活になじんでいることに気づかされます。

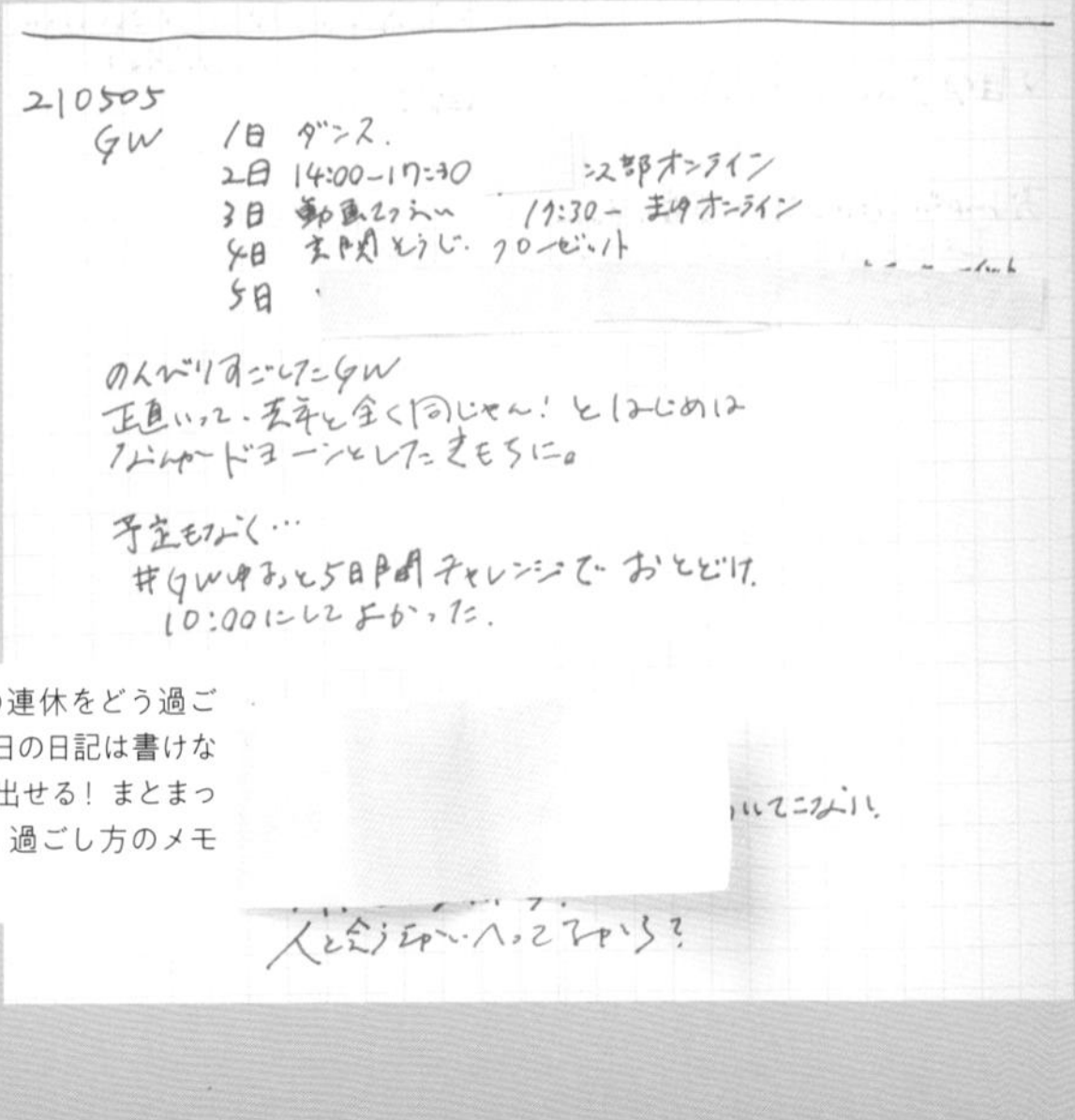
210505
GW　1日　ダンス.
2日　14:00-17:30　オンライン
3日　17:30-　オンライン
4日　玄関そうじ. クローゼット
5日
のんびりすごしたGW
正直いって、去年と全く同じじゃん！とはじめは
なんかドヨーンとしたきもちに。
予定もなく…
#GWゆるっと5日間チャレンジでおとどけ
10:00にしてよかった。
人と会う へってるから?

GW

コロナ禍で5月の連休をどう過ごしたかのメモ。毎日の日記は書けなくてもざっと思い出せる！　まとまった連休があれば、過ごし方のメモが役立ちます。

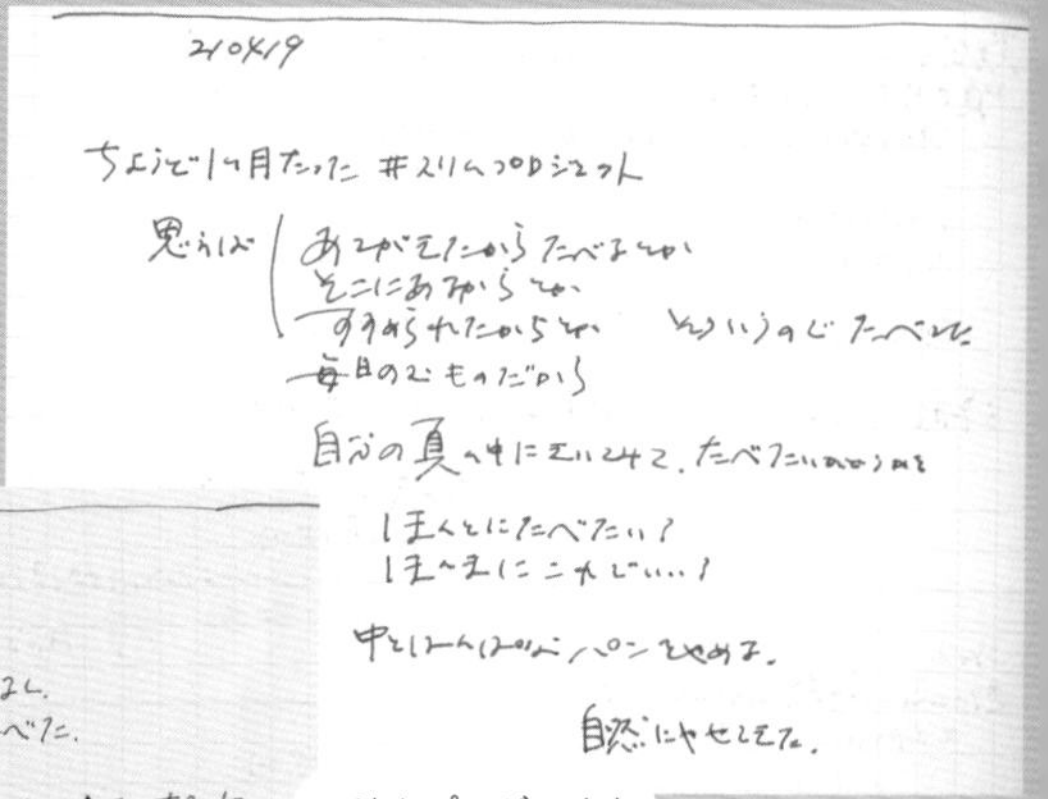

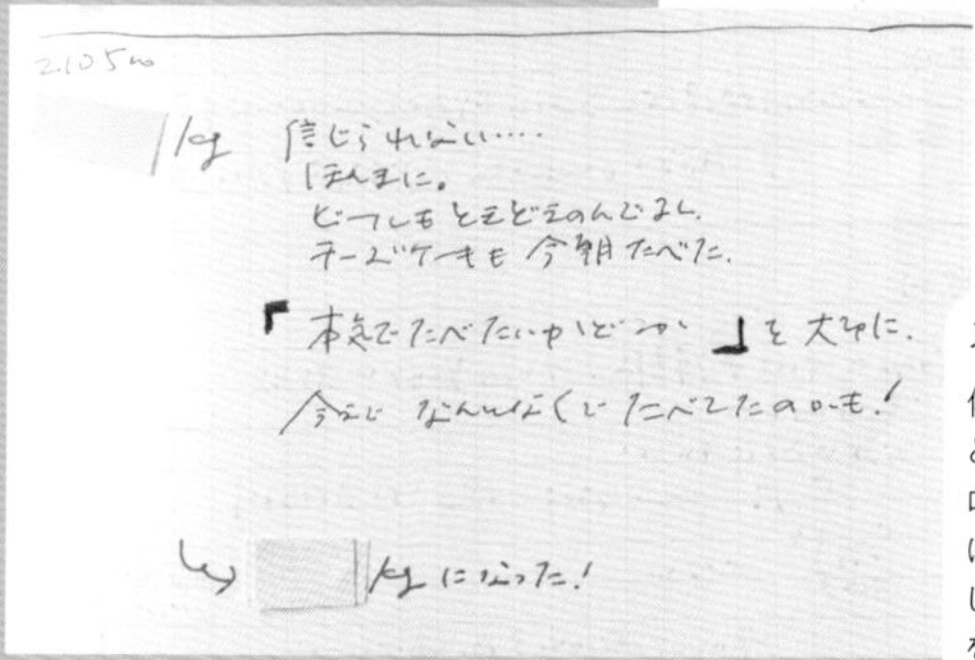

スリムプロジェクト

体重増加をなんとかせねば……と、友達と始めたダイエット企画、通称「スリムプロジェクト」。食への意識、体重をノートに記録。時々こうして書いておくと、見返したときに「わたし頑張ったな～！」と自分を認められる！

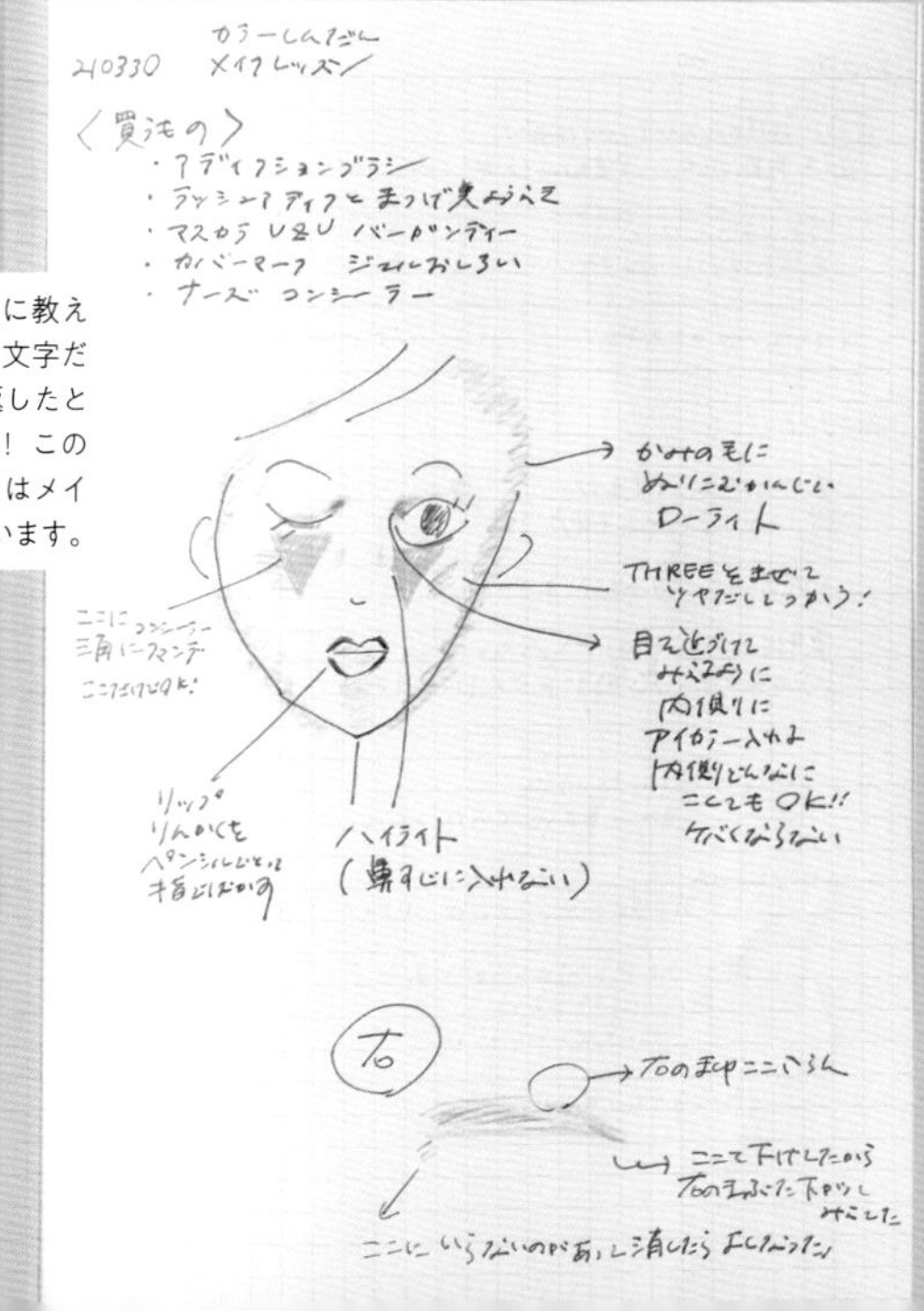

メイクレッスン

カラー診断とメイクを友人に教えてもらったときの復習メモ。文字だけより絵も残すことで見返したときにイメージが湧きやすい！ このページが目に入ると、「明日はメイク丁寧にしよう～！」って思います。

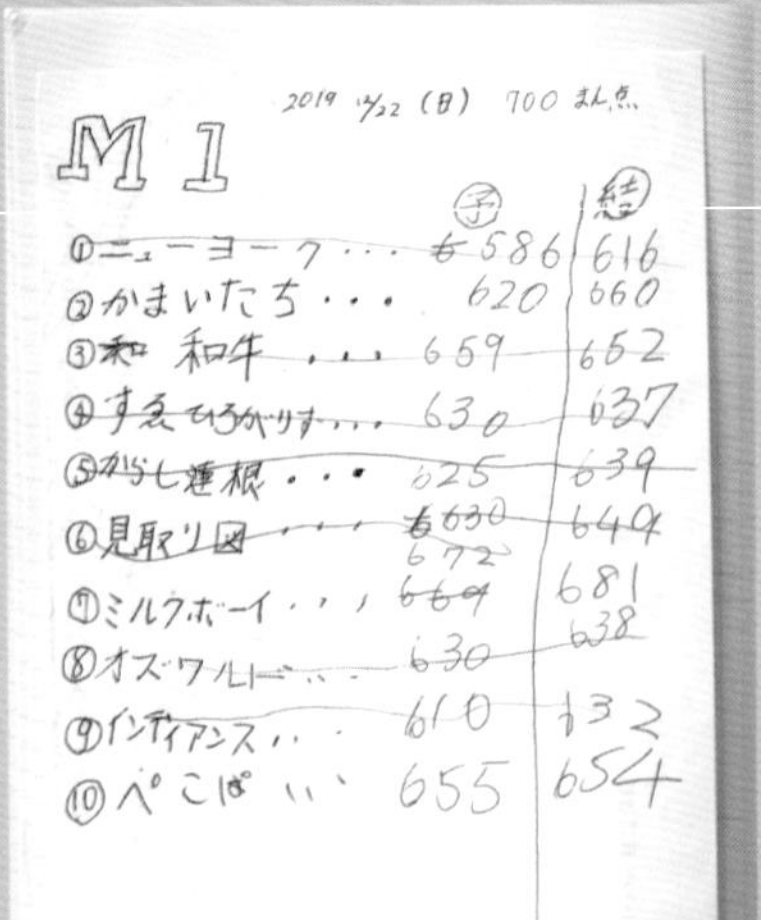

子どものM-1予想

毎年恒例、家族で「M-1グランプリ」の予想大会。終わって息子がゴミ箱に捨てようとしたのを、待った～！と引き取り、マイノートに。このページを見るだけで、4人で大笑いした瞬間を一瞬で思い出せる！

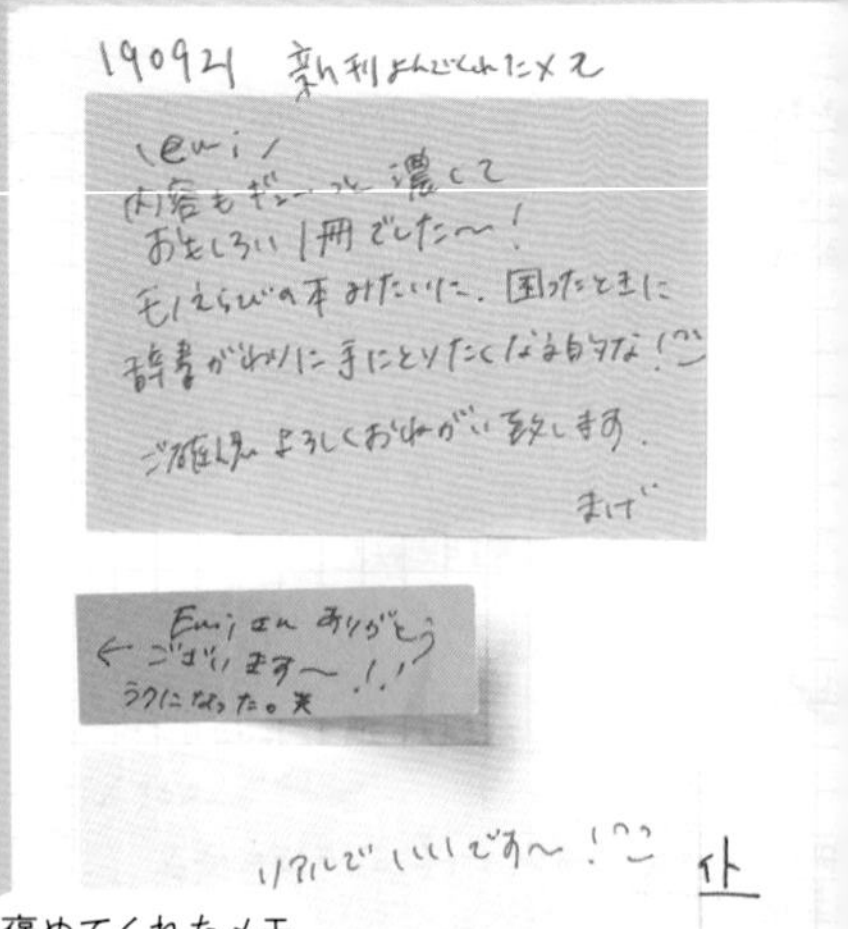

褒めてくれたメモ

新刊を出したときにスタッフが付箋に書いてくれた感想。本に貼り付けたままだと見返せないのでここに。今回の書籍づくり中、落ち込んだときに見返したら、元気をもらえました！

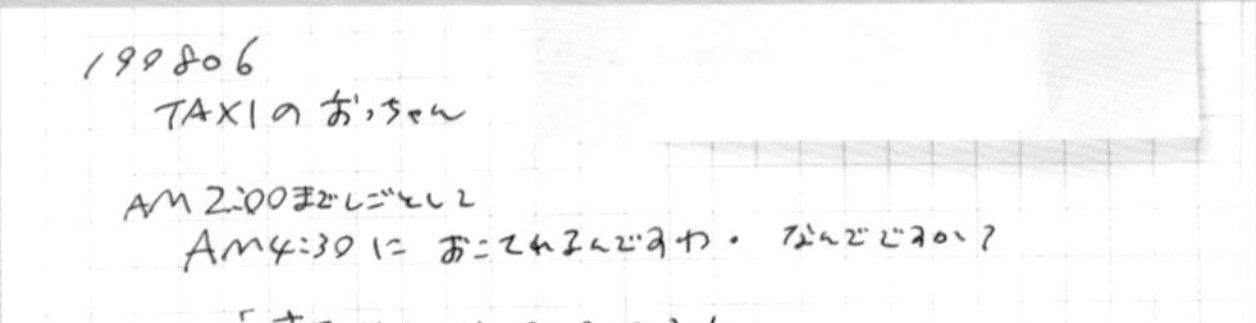

タクシーで

タクシーの運転手さんと話すのが好きで、会話の内容もメモ。こういう何気ない内容の貯金が、わたしの場合は、仕事のコラムやブログになったりします。

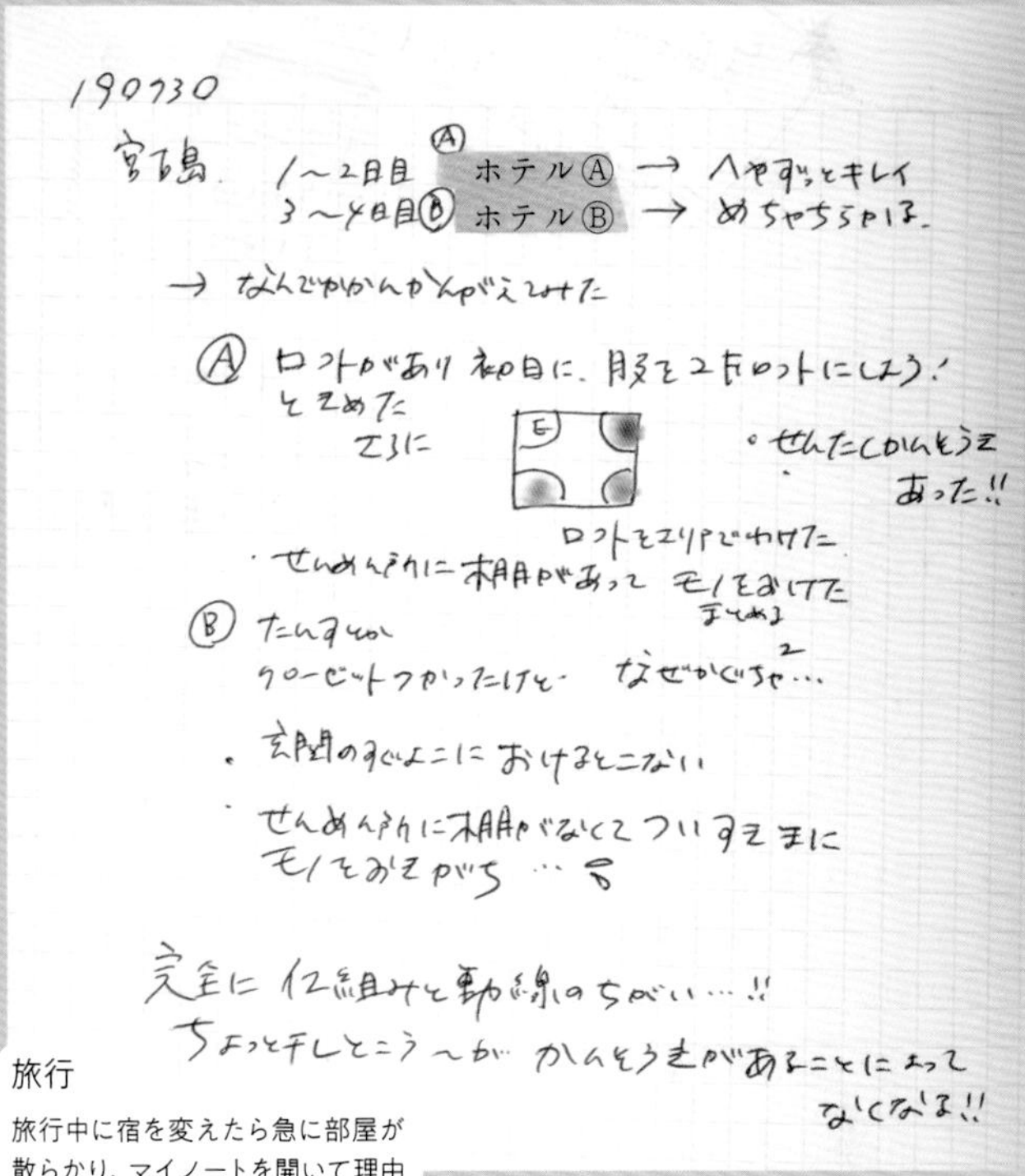

旅行

旅行中に宿を変えたら急に部屋が散らかり、マイノートを開いて理由を探ったところ……部屋のレイアウトが原因だったと気づく。こういうことが収納相談や、住宅メーカーさんとの仕事で活きます。

スタッフのひとこと

スタッフにツッコまれたひとことをメモ。見返しているときに、インスタライブでわたしへのツッコミ企画なんか面白いかな～など、新たな企画も浮かぶんです。

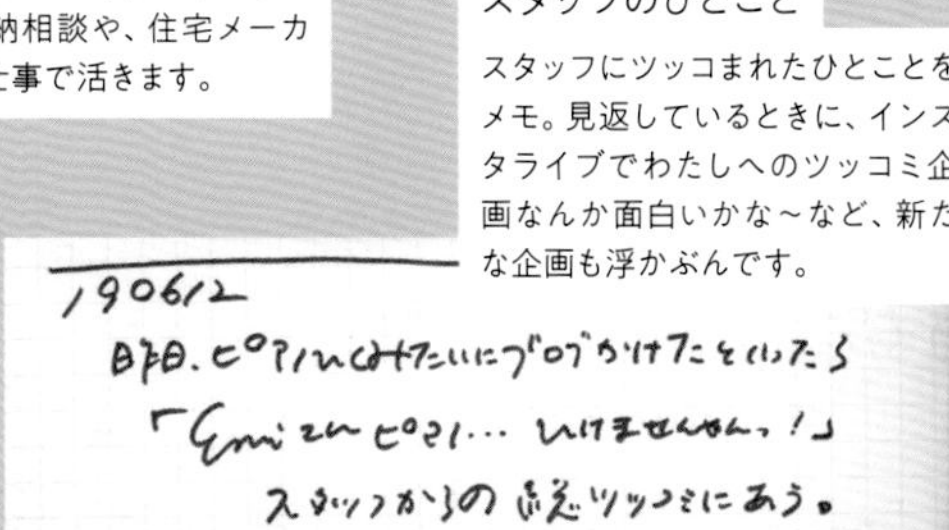

column
みんなの
マイノートに
もっと深める
アドバイス！
1

Emiさんみてね
わたしのマイノート

Mさん
会社員

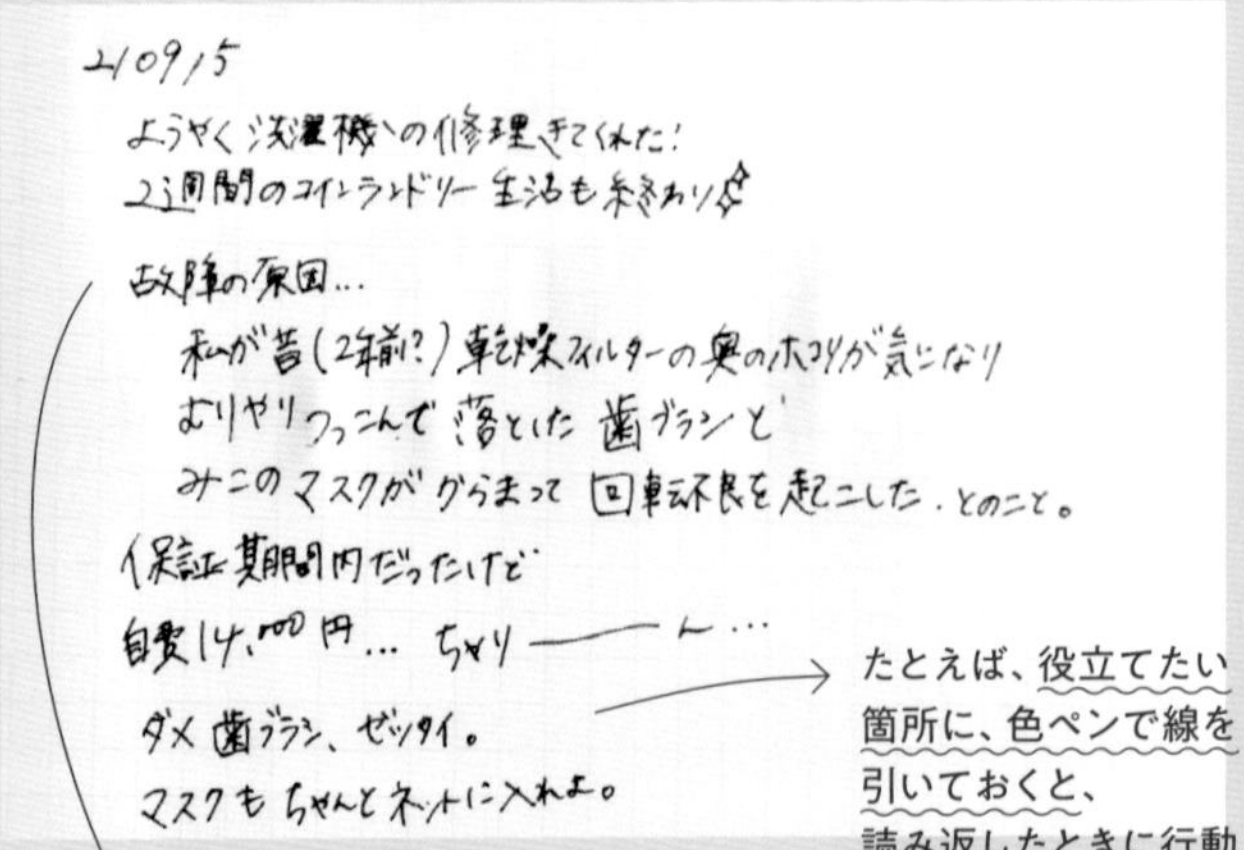

21 09 15
ようやく洗濯機への修理きてくれた！
2週間のコインランドリー生活も終わり☆
故障の原因…
私が昔（2年前？）乾燥フィルターの奥のホコリが気になり
むりやりつっこんで落とした歯ブラシと
みこのマスクがからまって回転不良を起こした．とのこと。
保証期間内だったけど
自費14,000円… ちゃり———ん…
ダメ歯ブラシ、ゼッタイ。
マスクもちゃんとネットに入れよ。

洗濯機の故障など、メモして
おくと次回にも役立ちますよね～！
ただパッと見て思ったのは、
つい「文章」で書いてしまう
クセがあるのかも？
ひとつの項目でボリュームが多くなると、
読み返すのに時間がかるかな？ と。

たとえば、役立てたい
箇所に、色ペンで線を
引いておくと、
読み返したときに行動
に移すところがパッと目
につきますよ～。

アドバイスを受けたMさんの感想

たしかに見返すとき、どこを読み返していいのかわからないときあります（笑）！ 色ペンで線を引く、さっそく実践してみました。役立てたいポイントが明確になり、週末に早速実践することができました。

2

マイノートで自分がわかる

「わたしらしさ」ってどんなこと？

「〝わたしらしさ〟を自己紹介してください」とマイノートのレッスンで言うと、みなさん困った顔になるんです。「語れるようなことなんて何もないです」とおっしゃる方も。でも、長年生きてきた中で自分が今まで興味をもってきたこと、人に言われなくても無我夢中でやってきたこと、ずっと気になっていること、いろいろあるはず。肩書きや成し遂げた何かや、大きな夢の話ではなくて、本当に小さなエピソードが〝わたしらしさ〟につながるのだと思うんです。

「わたしはアイドルを追いかける人生を過ごしてきました。ひとつのことにグッとハマる、それがわたしらしさです」。そう言われると、会社名や肩書きよりぐっと引き込まれませんか？ もっとお話聞いてみたい！って。魅力的な人は、自分が何をしたら元気が出て、どんなことで落ち込むのか、と「わたし」を知っている人だと思います。自分自身のことを説明するには、まず自分で自分を知ることから。そのために、今日の小さな感動（わたしは何に感動したの?)、観て面白かったテレビ(わたしは何が面白かったの?)などのエピソードを書くことから始めてみてください。小さなことでも集まると、立派な「わたしらしさ」が見つかります。

マイノートに心の貯金があれば チャンスに乗れる

人生にはいつどんないい波がやってくるかわかりません。

たとえば、仕事で「今度社内でこんな集まりがあるから、○○さん、ちょっと話してくれませんか？」と声をかけられたり、地域の活動で「新米ママ向けに、○○さんの育児経験をお書きいただけませんか？」と誘われることもあるかもしれません。

人生の中で大きな波って何回かくるものです。そのいい波に乗れるか乗れないかは、どれだけ自分の中に引き出しや「心の貯金」があるか、その自信ひとつで違ってくる気がしています。

わたしは雑誌『ＬＥＥ』で連載をもたせていただいて5年目となります。単発企画で声をかけていただくようになった頃、ふと「『ＬＥＥ』で連載なんてもてたらうれしいな～夢のまた夢だけれど、勝手に企画考えちゃおう」とマイノートにアイデアを走り書きしていました。半年後、携帯に着信が。「来年から『ＬＥＥ』で連載しませんか？」嘘みたいな本当の話です。そのときに、わたしなんて……と言わず、「やってみたいです！」とマイノートのラフ案を見ながら答えることができました。大きな波がやってきたときに不安がないといったら嘘になるのですが、少なくともマイノートに心の貯金があれば、自分に自信をくれます。

先のお声がけに対しても、もし日々の仕事の気づきや子育てのことを綴ったマイノートが心の貯金としてあれば、「やってみます！　お役に立てることがあるかもしれません」と答えることができるかもしれません。考えていることを日々記す。そして自分の中にとどめずに、誰かに話す。すると不思議なことに誰かが聞いていてくれてコミュニケーションやご縁が広がっていきます。

モヤモヤしたら、連想ゲームのようにして気持ちを書き出す

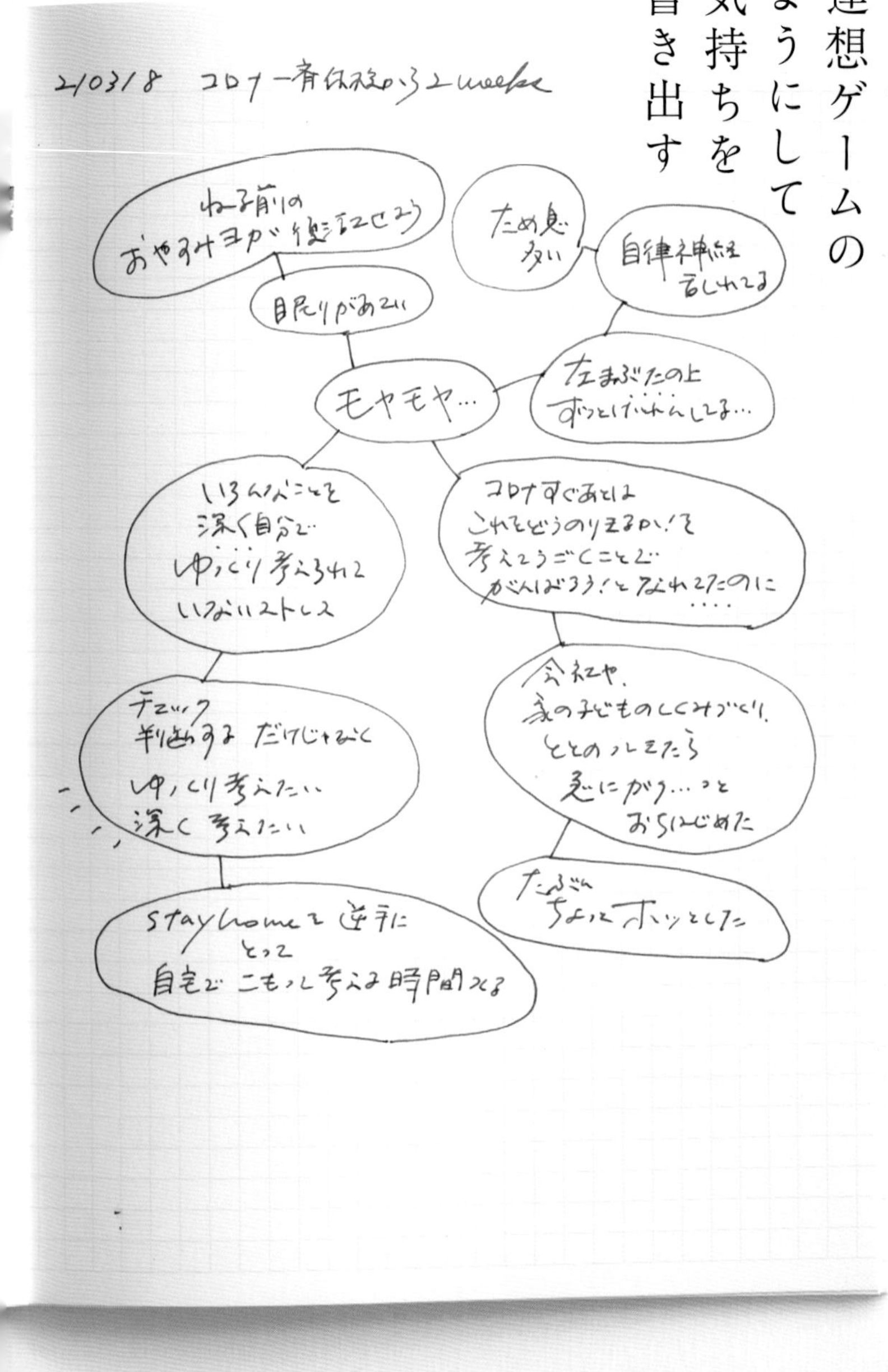

なんだか心が晴れないけれど、原因がわからない、言葉にできない……。そんなときわたしは、「マインドマップ®」と呼ばれる手法を参考にしてマイノートに気持ちを書き出しています。ひとつのキーワードからイメージすることを自由に書くというやり方で、頭の中が整理されていないときによく使います。

モヤモヤがあるときは、まっさらなページの中央に「モヤモヤ」と書いてマルで囲み、そこから連想ゲームのようにして心に引っかかっていることを書いていきます。手を動かすうちに頭の中がすっきりしてきて、原因に行き着いたり、はっきりした原因がわからなくても、何か行動に落とし込むことができたりします。

わたしは年に数回この「モヤモヤ」がマイノートに現れるのですが、年を追うごとに成長している悩みもあれば、毎回同じことを書いていることも（笑）。書き続けているからこそ、自分の成長や考えかたのクセに気づくことができます。

最期を考えると
自分のこれからが見えてくる

みなさんは自分の「最期」を考えたことはありますか？　わたしは、若い頃から自分のお葬式の日をすごくイメージしています。縁起でもないからあまり考えたくない、という気持ちの方もいらっしゃるかもしれません。気持ちが乗らなければ無理に考えなくてももちろんいいと思います。でも、もしよければ、一度想像してみてください。最期の日、自分のまわりにどんな人がいますか？　どこで過ごしていますか？　想像して出てきたのが、今の自宅ではなく海辺の方もいるかも。もしくは豪華な老人ホーム？　それもひとつ！　そうして考えてみると、「自分はこれから、どんな人と、どんな場所で過ごして生きていきたいと考えているのか」が見えてくる気がするのです。

それをマイノートに書いてみて、「将来海辺に住むには、○歳頃までには引っ越したいよな～、仕事はどうしようか、夫婦で仲良くしていなきゃな」など、最期の日を気持ちよく迎えるために、今できること、が見えてくる気がするんです。

わたしはというと、自分のお葬式には、家族、孫、ひ孫も、そして同世代だけではなくて、年下の世代の人が参列してくれているイメージが湧いてきたんです。でも、実際にはいま年下世代の友人などはほぼいません。ということは、これから40代にかけて、自分は新たな関係をつくっていきたいんだな〜、ということが見えてきます。これから若い世代の集まりに参加したり、新しい習い事を始めたり、具体的にしてみたいことも。

ちなみに子どもたちには「お母さんの棺桶にはさ、マイノート入れてよね〜」とお願いしています（笑）。

書いたものを見返すと自分らしさがわかってくる

マイノートを1冊でも続けると、そのノートを使って「わたしらしさ」をさらに掘り下げることができます。

まずは書き終わったノートを開いて、自分がどんなテーマについてよく書いているかを振り返ります。仕事、家計管理、ＰＴＡ活動、キャンプ、漫画、なんでもいいです。突出したジャンルが見つかれば、それが自分の得意ジャンルということです。得意ジャンルが見つかったら、さらに「〝自分ならでは〟なのはどんなエピソードか」「誰かに伝えたいことは何か」と考えてみます。

わたしはマイノートの使いかたを伝えるワークショップで、「今までの人生を振り返って講演会をするとしたら、どんなテーマにしますか？」という視点で考えていただいています。

自分では当たり前だと思っていることでも、人から見るとすごいことだったり、話を聞いてみたいと思われることは、実はたくさんあります。それが「自分の強み」であり、「自分らしさ」ということなんですね。先日はマイノートを見返すと「お世話する」というキーワードが何度も出てきて自分でもびっくりした、という参加者の方も。

わたしにとっては、それは「片づけ」「整理収納」でした。片づけなんて、みんながやっていること、と思っていたのですが、人から「すごいね」と言ってもらって初めて、「これがわたしらしいことなんだ」と気づくことができました。そしてわたしの場合はそれが仕事につながっていったのです。

自分らしさに早く気づけると、人と話すことも、自分の行動もきっと違ってくるはずです。

書いててよかった！
みんなのマイノート episode
わたし編

30代専業主婦です。おいしくできた夕飯、子どもの面白発言、うれしかったこと、モヤッとしたこと……心が動いたことはなんでも書いています。吐き出すことでスッキリするというか、「もう書いたから覚えておかなくて大丈夫！」と脳内がクリアになる感覚です。16冊目になりましたが、どのノートも思い出深く、大切なわたしの財産です。

（ハルコさん／マイノート歴5年／16冊目）

マイノートに心が動くようなことを書いているうちに、「自分がどんなことが好きで、どうなりたいのか」がはっきりしてきました。以前は、素敵だと思うことはハードルが高くて、自分には無理だと思うことが多かったのですが、今では「どうしたら近づける？」「こんなことならマネできそう！」と考えられるようになりました。

（むぅさん／マイノート歴7年／16冊目）

マイノートをつけはじめて「自分」に意識が向くようになりました。「他者からどう見られたいか」しか考えていない自分に気づき、「あれ？ホントのわたしは？」と苦しいながらマイノートとともに一緒に向き合ってきました。新聞の切り抜きを貼って気づきを書いたり、どんな気持ちで仕事に向かっているのかなどを再確認＆発見したり。わたしの生活はマイノートのおかげで5年前と劇的に変わったのです。

（3はるママさん／マイノート歴5年／18冊目）

30代、DINKSで子どもがいません。子どもがいないことに対してネガティブな考え方が1年ぐらい続きました。夫と会話しても納得できず、ケンカも長引いたり。マイノートにモヤモヤを書き出すと、「そもそもなぜ子どもが欲しいのか？」を掘り下げることに。結論、周りからのプレッシャーを勝手に感じているとわかり、精神状態がかなり改善されました。不妊関係は人には言いにくく、ぐるぐるとネガティブになりますが、マイノートのおかげで考えかたの整理ができたと思いました。（おさよさん／マイノート歴6年／4冊目）

介護のために1年間仕事の休業を決め、同時にマイノートをはじめました。介護という初めての経験、また、20年間続けてきた会社員を休むという時間。どちらも大きな出来事なので、自分を観察したくてつけはじめました。介護のことも書くけど、Emiさんのマネをして雑誌の切り抜きを貼ったり、「今日のよかったこと」をハートマークつきで書いたり。読み返すと、介護だけに偏らない自分の生活を見つけられました。わたしにとっての介護って、生活のほんの一部なんだなーと。自分が強くなった気がします。感謝！

（カットパインさん／マイノート歴半年／1冊目）

大学1年生です。受験期に、大学の条件についてあれこれ考えてしまって志望校が決まらない、ということがありました。そんなときにマイノートを読み返したら、将来やりたいことについて書いたページを見つけ、「ああ、自分はこれが軸なんだな」と再認識することができました。それを元に大学に求める条件をマイノートに書き出し、頭を整理して志望校を決めることができました。

（N.Mさん／マイノート歴3年／3冊目）

小4、小3の年子姉妹をもつ二児の母です。娘たちがまだ幼稚園児だったときに乳がんを患いました。悲しみと絶望感でいっぱいだった乳がん発覚時、泣きながらそのとき感じたこと、周りの人からもらった言葉などを一心不乱にマイノートに書き留めました。読み返すと、たくさんの人から大事にされていることに気づき、「あら、わたしって幸せじゃない?」ってことがわかり、悲しい涙がうれし涙に変わり、不幸のどん底から這い上がることができました。そして、笑顔で健やかに過ごすためのメモや気づき、ごきげんに過ごせるための自分の好きなことリストなどを書き留めると、マイ健康ブックのようなものができあがったようでうれしかったです。

（ピーピーママさん／マイノート歴5年／3冊目）

column
みんなのマイノートにもっと深めるアドバイス！
2

Emiさんみてね
わたしのマイノート

Kさん
会社員

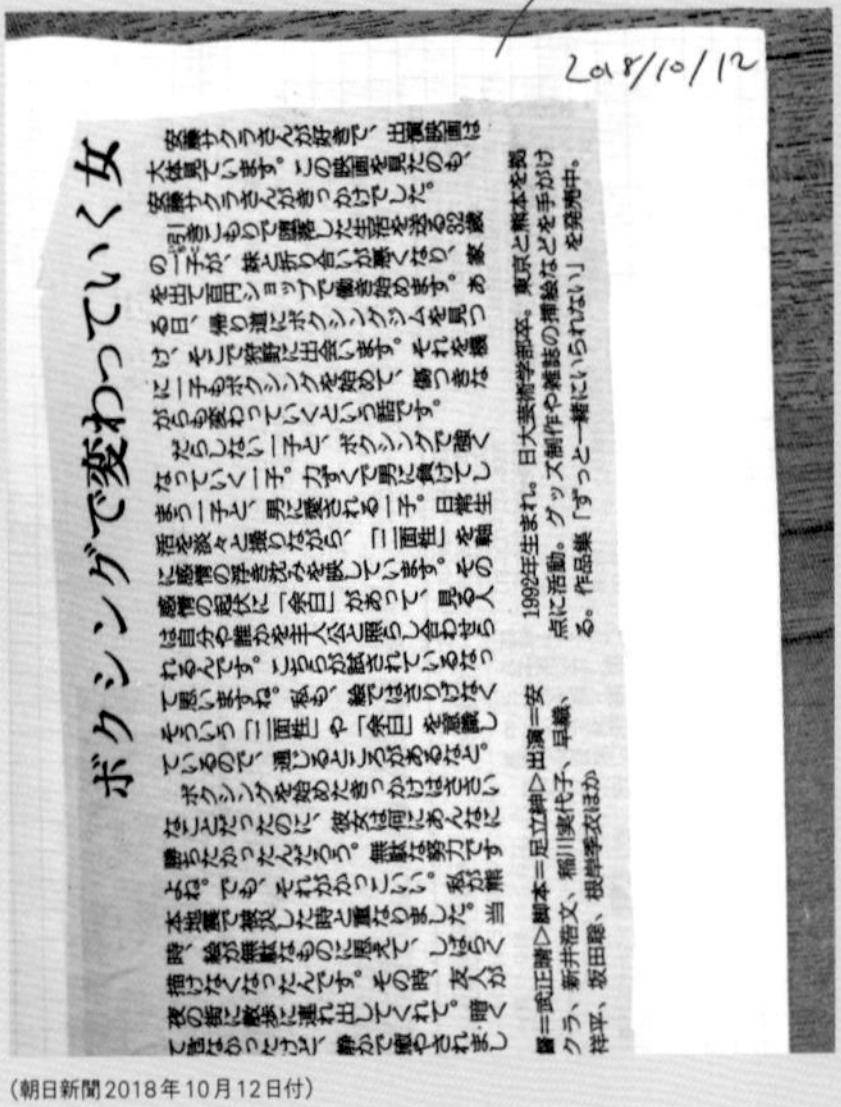

2018/10/12

ボクシングで変わっていく女

安藤サクラさんが好きで、出演映画は大体見ています。この映画を見たのも、安藤サクラさんがきっかけでした。

引きこもりで自堕落な生活を送る32歳の一子が、妹と折り合いが悪くなり、家を出て百円ショップで働き始めます。ある日、帰り道にボクシングジムを見つけ、そこで狩野に出会います。それを機に一子もボクシングを始めて、傷つきながらも変わっていくという話です。

だらしない一子と、ボクシングで強くなっていく一子。力ずくで男に負けてしまう一子と、男に愛される一子。日常生活を淡々と繰りながら、「二面性」を軸に感情の浮き沈みを表しています。その感情の起伏に「余白」があって、見る人は自分や誰かを主人公と照らし合わせられるんです。こちらが試されているなって思いますね。私も、絵ではさりげなくそういう「二面性」や「余白」を意識しているので、通じるところがあるなと。

ボクシングを始めたきっかけはささいなことだったのに、彼女は何にあんなに勝ちたかったんだろう。挑戦は努力ですよね。でも、それがかっこいい。私が熊本地震で被災した時と重なりました。当時、絵が無駄なものに思えて、しばらく描けなくなったんです。その時、友人が被災の街に散歩に連れ出してくれて。暗くて言葉はなかったけど、静かで癒やされまし

1992年生まれ。日大芸術学部卒。東京と熊本を拠点に活動。グッズ制作や雑誌の挿絵などを手がける。作品集「ずっと一緒にいられない」を発売中。

監督＝武正晴▷脚本＝足立紳▷出演＝安藤サクラ、新井浩文、稲川実代子、早織、祥平、坂田聡、根岸季衣ほか

（朝日新聞2018年10月12日付）

切り貼りは割と面倒で
後回しになりがちなのに
すばらしいですね！
でも……数年後に見返すと、
「何に心が動いたのか？」が
思い出せず、見返しても
わくわくしないことも……。

- できればひとことでも感想を残す
- 難しければ記事に蛍光ペンでラインを引く！だけでもOK

そうすると、読み返したときにすべての内容を読まなくても頭に入ります。

アドバイスを受けたKさんの感想

なるほど！ たしかに時間が経ってから見直してみると、「なんでこの記事を貼ったんだろう？」と自分でも理由がわからなくなることも。ひとこと感想を書けばそんなこともなくなりそうですね。やってみます！

3

マイノートで生きやすくなる

人と比べて落ち込むことが減る

今はＳＮＳが盛んで、つい人と比べてしまう方も多いかもしれません。「食卓に何品も出てくる夕飯」「バリバリ頑張っている仕事」「子どもに何冊も読み聞かせをしてあげている」そんな投稿を目にすると、自分が元気なときは素直にすごいな！と見ることができるものも、落ち込んでいるときは「その人と自分」を比べて落ち込んでしまう……という話もよく聞きます。

今でこそ「ポジティブですね」と言われることが多いわたしですが、学生の頃は自分に自信がなく誰かと比べてしまい、「どうせわたしなんて」が口グセだった頃もあるんです。さらに一度落ち込むと元気になるまで時間がかかっていました。

今でも落ち込むことはもちろんあるのですが、大きく変わったのは「人と比べなくなったこと」。そして人と比べる代わりに「昔の自分と、今の自分」を比べられるようになりました。それはマイノートに何気なく書いてきた自分の気持ちや何気ないことの積み重ねがそうさせてくれた気がするんです。

今から10年前、保育園バッグと仕事のバッグを肩から下げ、泣く双子の手を引いていた帰り道、ひとりのお子さんをゆっくり抱っこしているママさんを見かけて「うらやましいな」という気持ちが芽生えたこともありました。そんなときはそっと自分のマイノートを開きます。正直に自分の気持ちを吐き出してみたり、双子を出産してすぐ書いていた悩みのページをめくれば、「そっか……昔はこんな小さなことで悩んでいたんだな、わたしもお母さんとして成長しているし、悩み自体が成長している！」と思えるように。双子が同じ仕草をしてかわいかった頃のエピソードを見ると「双子でよかったー！」と改めて。

ノートを開いて、ちょっと自分と向き合う。それを続けているうちに、自分の軸のようなものが目に見えてノートという形で溜まっていき、いつのまにか「人と比べる」ということをしなくなった自分を発見できるはずです。

自分のフィルターを通すクセをつける

今は情報が溢れている時代。インターネットで得る情報も、流れてくるニュースも、「これって本当のことなのかな？」「わたしはどう考えるのかな？」を意識しておくのが大切ですよね。

マイノートを書いてきて得たことのひとつに、何かをインプットするときに、ノートに「事実」と「自分の心が動いたポイント」を整理して、それに対して自分がどう考えているのか、を深められるようになったことがあります。当初はただ情報を集めただけで書いた気になっていたのですが、大事なのは「それに対して自分はどう思うの？　どこにピンときたの？」ということ。ノートには情報しか書いていない、という方も多いのですが、ぜひ自分が見聞きしたものに「自分はどう考えるのか」ということを言葉で残してみてください。ＡＩが活用されると言われているこれからの時代は、大人も子どもも「自分のフィルターを通して考えて、自分の言葉で表現する」ことがすごく求められるようになると思います。

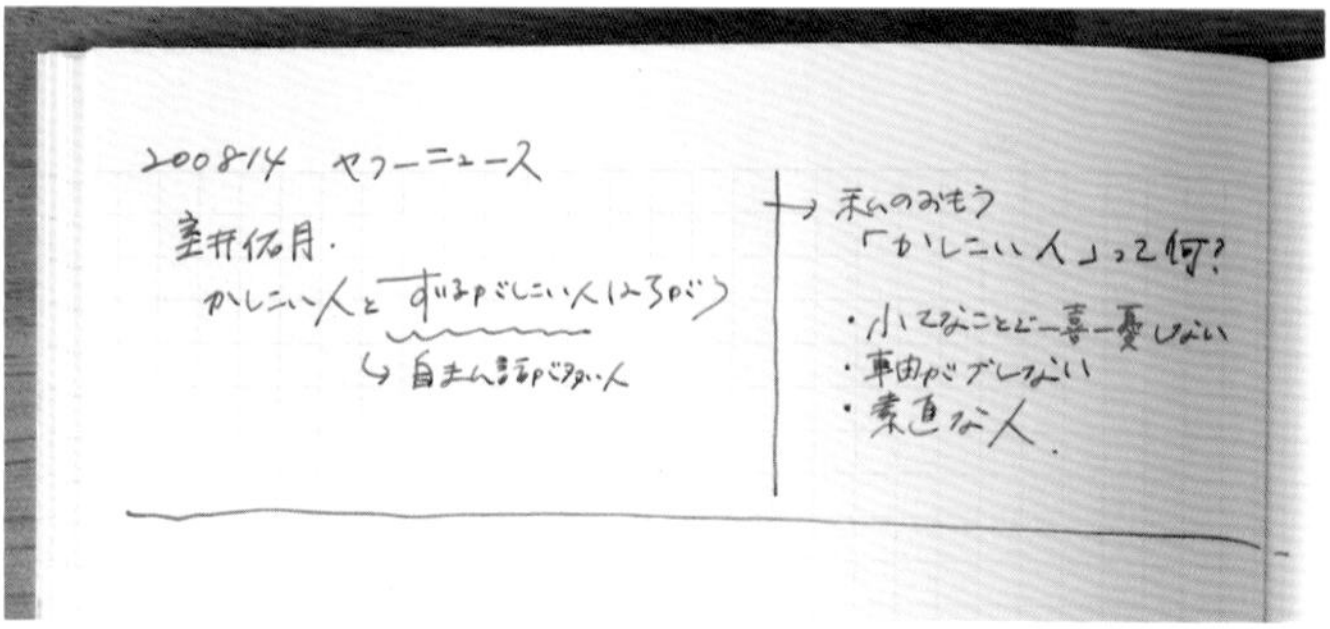

著名な方が「賢い人とずる賢い人は違う」と発信した記事を見て、「わたしが思う賢い人って？」と考えてみました。

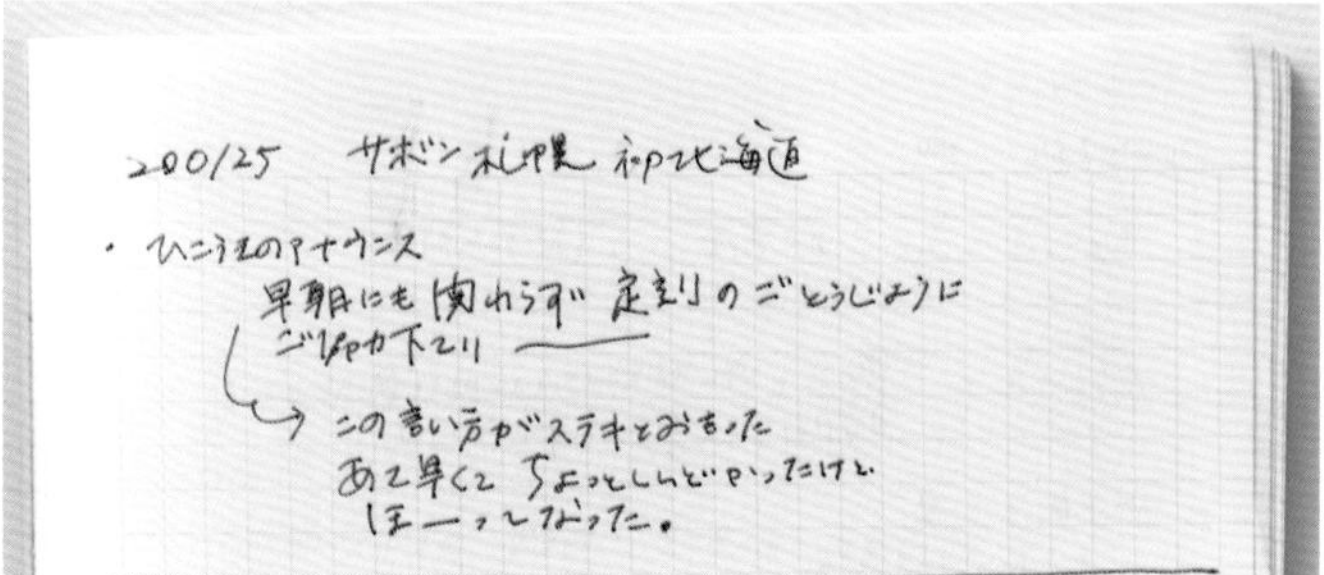

朝早く飛行機に乗ったとき、心が和むアナウンスが流れて「どのポイントに癒されたのか」を考えてメモしました。

ネガティブなことからも何かが見つかる

「イヤなことも書きますか？」と聞かれることがあります。わたしは落ち込むことやイライラする「ネガティブなこと」もあえて書くようにしているんです。17年間続けてきた実感として、一見ネガティブなことにこそ、自分が今向き合いたい本質が隠れている気がします。お店の接客でずっとムスーッとしている店員さんに出会い、ちょっとイラッとしたとします。その日のマイノートには「○×店、店員さんの態度にイライラ」と書き、その次に、「自分も会社や家で笑顔出せてる？　ムスッとしてない？」と考えるんです。すると、イラッとしたポイントが、自分にも足りてないことだった、というのはよくある話（笑）。

人間関係も同じく。つらいことがあったとき、自分はどんなタイプの人が苦手か、次はどうするべきかをメモ。新しい場に行くときに役立ちます。「ネガティブな出来事から何を回収したか」をセットで書くことでいつのまにかポジティブに、そして次につながるマイノートになります。

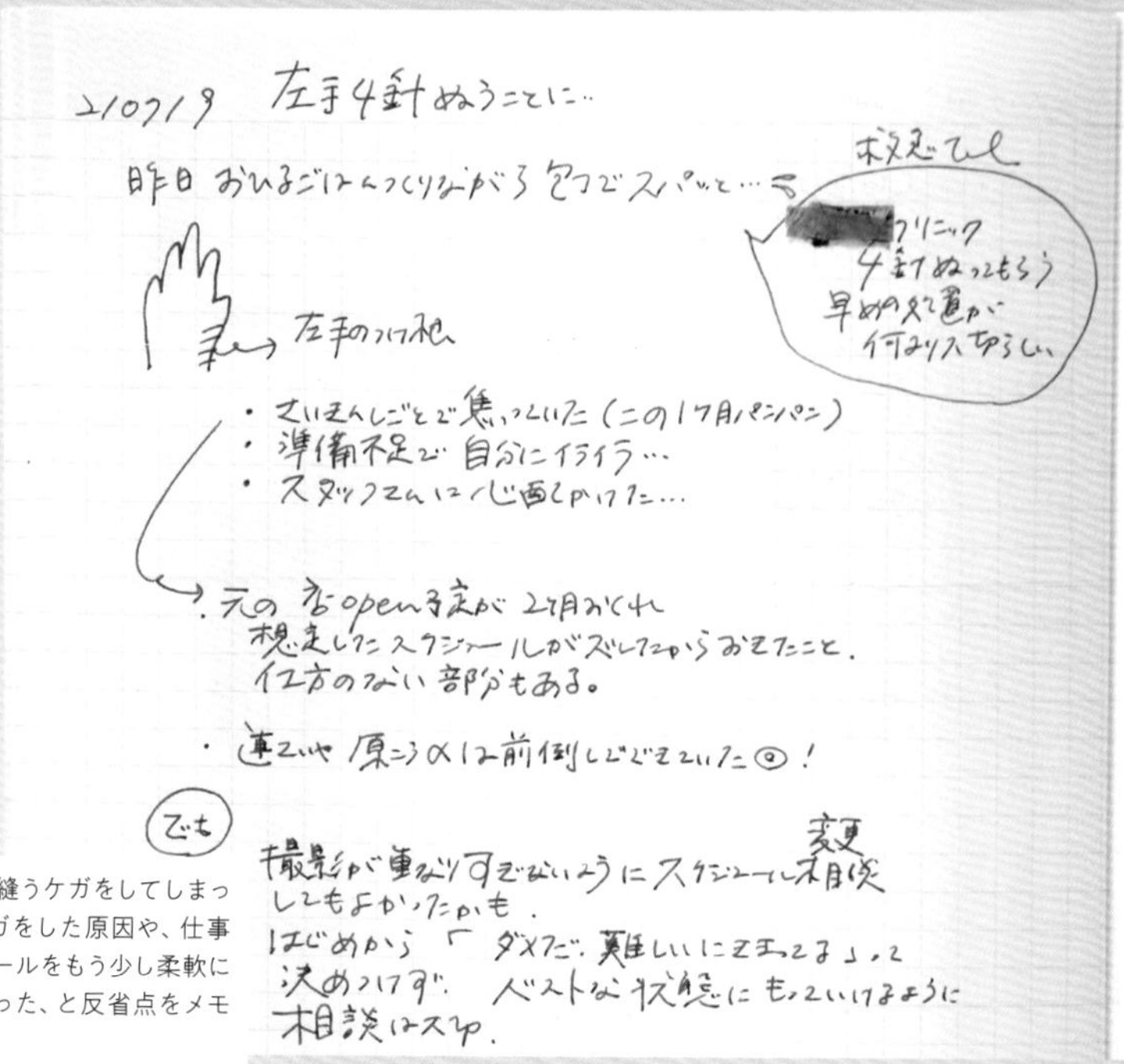

手首を4針縫うケガをしてしまったとき。ケガをした原因や、仕事のスケジュールをもう少し柔軟にしてもよかった、と反省点をメモしました。

マイノートを書けなかった時期に、なぜ書けなかったのか振り返り。「最近わくわくした仕事はなんだろう?」と考えて、次にしたいことが見つかりました。

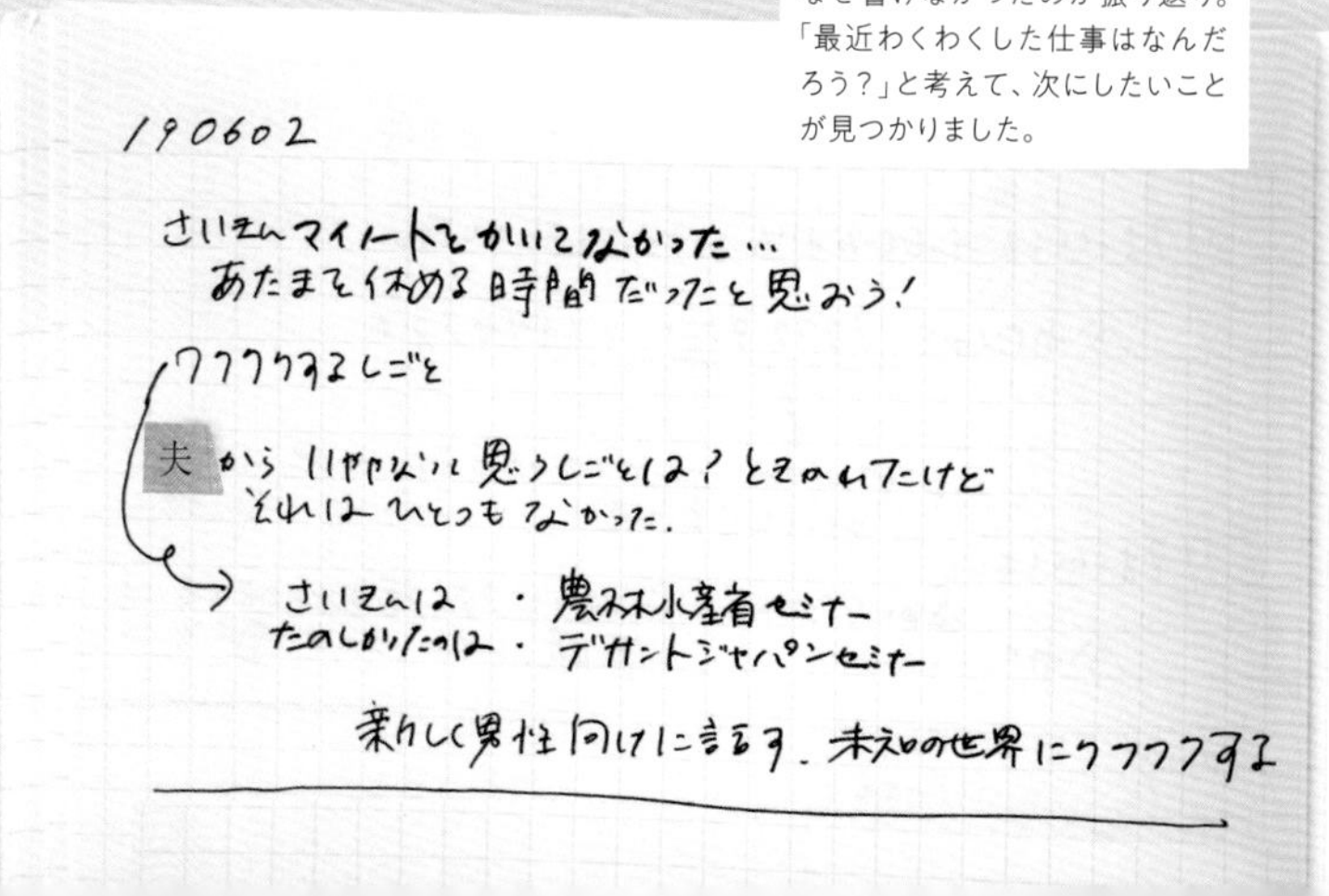

一年前のマイノートが自信をくれる

「今からちょうど一年前、何をしていてどんな気持ちでしたか？」はっきり答えられる人はあまりいないかもしれません。「何してたっけな……？　たいしたことは何もしていなかったような」と答える方が多いのでは？　ちなみにわたしはというと、実際の記憶ではほとんど思い出せないので、マイノートを開いてみることにします。

・顔ヨガのオンラインレッスンを受けはじめた
・出勤前、一日一箇所掃除をスタート！
・夫婦で新聞に取材していただいた

お、意外と頑張っていました！　でも先にも書いたように、実際の記憶ではほぼ忘れてしまっているんです。思い出せたのはマイノートのおかげ。

自分の行動を思い出すと、「たいしたことは何もしていなかった」というのは自分の思い込みやイメージだったことに気づきます。

マイノートを続けて、「なんだか最近の自分は停滞しているな」と感じるときは、ぜひマイノートで一年前の自分を振り返ってみてください。

自分の認識より、実際の自分はよくやっている！ということをきっと発見できるはずです。

大切な人からの手紙や言葉に励まされる

ある日「元気のないエミへ」と手紙とお菓子が届きました。ちょうど数日前、落ち込んでいるとＬＩＮＥをしたら届いた贈り物。添えられていた手紙はマイノートに貼りました。

みなさんもご両親やパートナー、お子さん、昔からの友人、恩師、いろいろな方の言葉にこれまで支えられてきたということがあると思います。でも、そのすべてを具体的に覚えているという方は少ないかもしれません。わたしは少しでも忘れたくなくてマイノートに残しています。

手紙という形式だけではなく、うれしいメールなどもできれば印刷して貼っておくように。受信したメールはスマホやパソコンの中で埋もれていってしまい、ふとしたときに目にすることがないんですよね。でもマイノートという形なら、ほかのものを捜しているときにパッとうれしい言葉が目に飛び込んできてまた力をもらう。そんな瞬間が山のようにあるんです。「そういえば、今までにもらった手紙が箱に溜まったまま」という方は、一度箱から取り出して、読んで「今も心に響くこと」だけを、時系列は気にせずノートに貼ってみてください。それだけで、感謝の気持ちが芽生えたり、連絡を取るきっかけになるかもしれませんよね。

以前、「マイノートのつくりかた」のレッスンに参加してくださった方からこんなメールをいただきました。

「2年前に父が亡くなりました。生前、父がわたしを呼び、父の思いを話してくれたことがありました。わたしはそれをマイノートに記しておいたのです。先日ふとマイノートを読み返したときに見つけて、いつのまにか忘れていたその言葉を思い出せました。父にまた会えたようなひとときでした」

もしかしてマイノートに書いていなかったら、お父さんに再会することはできなかったかもしれませんよね。そのページを見れば一気に情景が蘇ってくる。書いて残せばまたいつか再会できる。わたしも大切な人といつでも会えるように、思い出を残しておこう、と改めて思わせていただいたエピソードでした。

自分の落ち込む
タイミングがわかる

体調の変化や気持ちの変化、小さな「あっ、なんかいつもと違うな」の感覚を大事にしてメモ。続けていくと、本当に自分の変化に敏感になってきます。

わたしはどうやら毎年3月頃に気持ちが落ち込むようです。２０１９年はリノベーション期間中に本当にこれでよいかと悩み、２０２０年はコロナで気持ちが沈み、２０２１年は仕事のトラブルで。一見すると内容はそれぞれ違うのですが、記録を見ていくと「冬から春にうつる季節の変わり目に体調を崩す↓それがきっかけで落ち込みがちになる」ということがわかってきました。さらにさらに、その期間もだいたい1ヶ月もしないほどで、あとは調子がよくなることもわかってきました。

自分のバイオリズムがわかると、落ち込んだときには、「いつものあれだな」とピンとくるように。もしマイノートに書いていなかったら、ただただ落ち込んでつらいだけだったかもしれません。いつ回復するのかがわからず、より深く落ち込んでいた可能性も。でも「わたしは毎年3月はこうなんだよね」とわかっていれば、深く落ち込むことなく乗り越えられる気がします。つまり自分の記録が自分を助けてくれるということですね。

気持ちの変化と体調は通じるものがあると思うので、何を記録すればいいかわからないという方は、「肌荒れ」「肩こり」「頭痛」そんな変化を記録するだけでもいいと思います。こうしたらよくなるし、こうするのは自分には合っていない、などもわかるようになってきます。

数年分マイノートを書き続けてきているという方は、別の年の同じ月のノートを開いて縦軸で見比べてみるのも面白く、新しい発見があるはずです。

column
みんなのマイノートにもっと深めるアドバイス!
3

Emiさんみてね
わたしのマイノート

Sさん
会社員

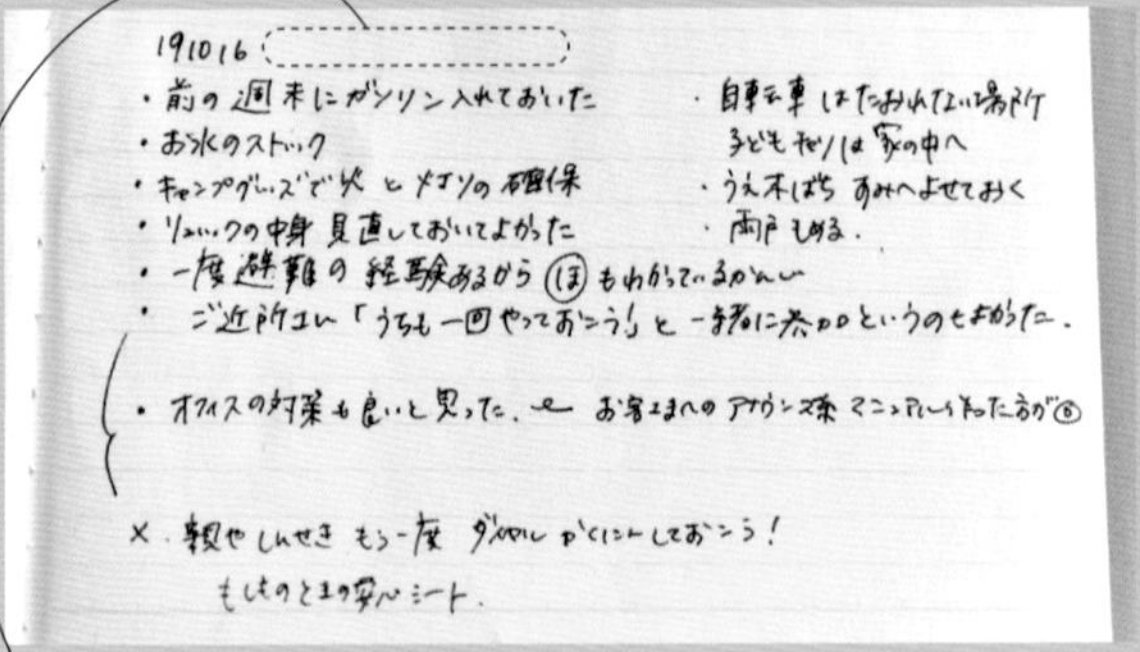

191016
・前の週末にガソリン入れておいた
・お水のストック
・キャンプグッズで火とメシの確保
・リュックの中身見直しておいてよかった
・一度避難の経験あるから(ほ)もわかってるかんじ
・ご近所さんに「うちも一回やっておこう!」と一緒に参加というのもよかった。
・自転車はたおれない場所
子どもチャリは家の中へ
・うえ木ばちすみへよせておく
・雨戸しめる。
・オフィスの対策も良いと思った。← お客さまへのアナウンス係 マニュアル作った方が◎
×.親やしんせき もう一度 ダイヤル かくにんしておこう!
もしものときの安心シート。

普段から防災対策などしっかりされているのですね!
よかったところを書き出していて次回も参考になりそうです。

ただ、「タイトル」をしっかりつけたほうが、
読み返したときにパッと見てわかるので便利です。
たとえば「台風のための対策!」などを
日付の横に、大きめの字で書く
だけで、わかりやすくなりますよ。

アドバイスを受けたSさんの感想

そういえば読み返すときのことをあまり意識できてなかったなと思いました。「長女、個室ほしい問題」とか「休日の過ごしかた」とか、雑誌のタイトルみたいに書くと見返すのがわくわく楽しみになりそうです!

4

マイノートで生活が変わる

「どこに置いておこう?」がなんでも残せる

今までにもらった手紙のほかに、コンサートや映画のチケットの半券、初詣で引いたおみくじなど。「心が動いて残しておきたいけれど、どこに置いておけばいいの?」というものを、マイノートはなんでも受け止めてくれます。

つい箱やファイルに入れっぱなしになりがちですが、ノートという「形」になっているととても見返しやすいんです。「とりあえず溜めておく」より、マイノートに貼って形にすることでスッキリ! 思い出の記録を見返すことが自信につながるのですね。それに、こういった紙モノはそれ1枚でどんな長い文章より記憶を蘇らせてくれる力があります。

「いいな」と思ったお店のカードも貼っておくと、何度も見返すうちに点と点が合わさるように本当に行けたりすることもよくあります。箱にしまっていたら起きないミラクルが、マイノートに貼ることで起きるのです。

保管の仕方に迷うもの

お店のカード

素敵な贈り物をいただいたら、同封のショップカードを貼り付け。好きなお店を自分の中にストックできます。

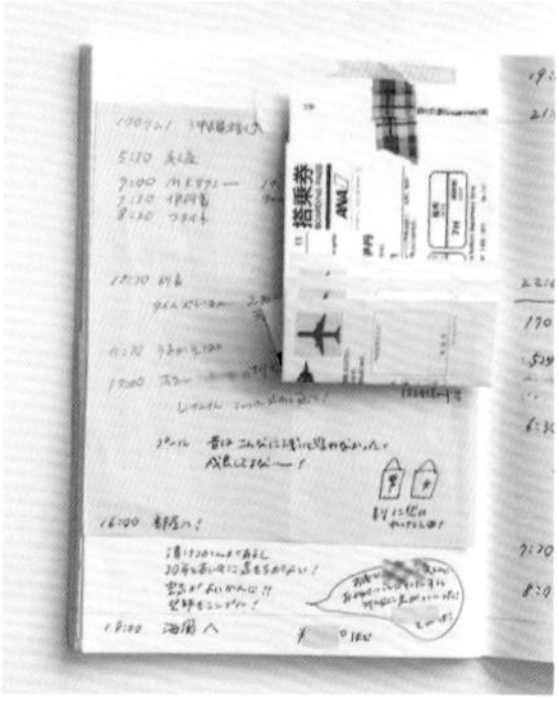

チケット

旅の記録とともに、航空券のチケットを。チケットを見るだけで一気に飛行機の中や空港など旅の香りを思い出せます。

特別な名刺

メモとともに、お会いして強く印象に残った方の名刺を貼っておくと、そのときの感情がぐっと蘇ります。

手紙

スタッフみんなからもらったバースデーカードも。手紙なども数枚重ねてステープラーでとめてしまうこともあります。

切り抜きを貼ると、いつでもアンテナが張れる

たとえば「こんなアイロンが欲しいな」と思って雑誌の切り抜きをマイノートに貼ったとします。そのページを見返すと、「わたしアイロンが気になっているんだ」と思い出しますよね。すると、ドラマを観ていてもアイロンが目に入ってきたり、人と話しているときに「アイロンは何を使ってる？」と聞いたりして、いつのまにか自分にベストなアイロンを手にできていたりします。

マイノートに気になっていることを書き、「見える化」することでアンテナが張られて、いい情報を手にすることができるのです。行ってみたい場所や、つくってみたいレシピ、マネしたいネイル、かわいいと思ったデザインなど、マイノートにはなんでもストックできます。ただ、ビジュアルを貼るだけでなく、ひとこと自分の考えを書いたり、「○月に△△へ行きたい」と書いておくのがポイントです。スマホのスクリーンショットだと撮って終わりになりがちですが、手を動かして書いたものを見返すことで、よりアンテナが張られて行動に落とし込みやすくなります。

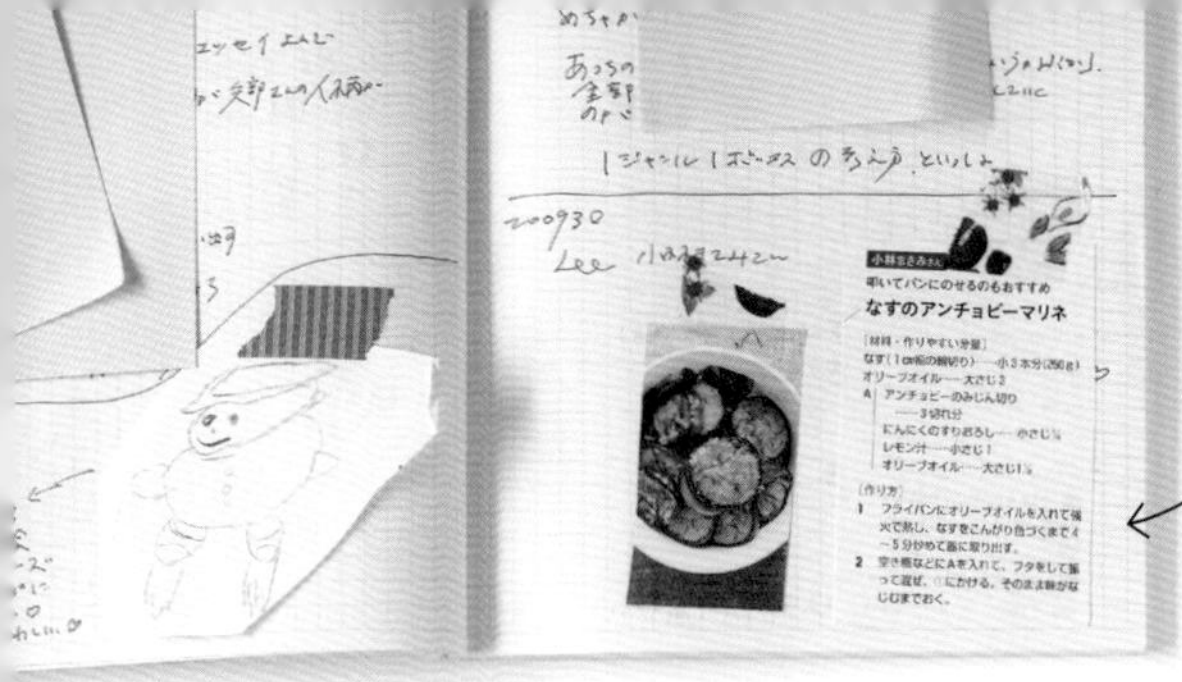

つくってみたいレシピ

気になったアイテム

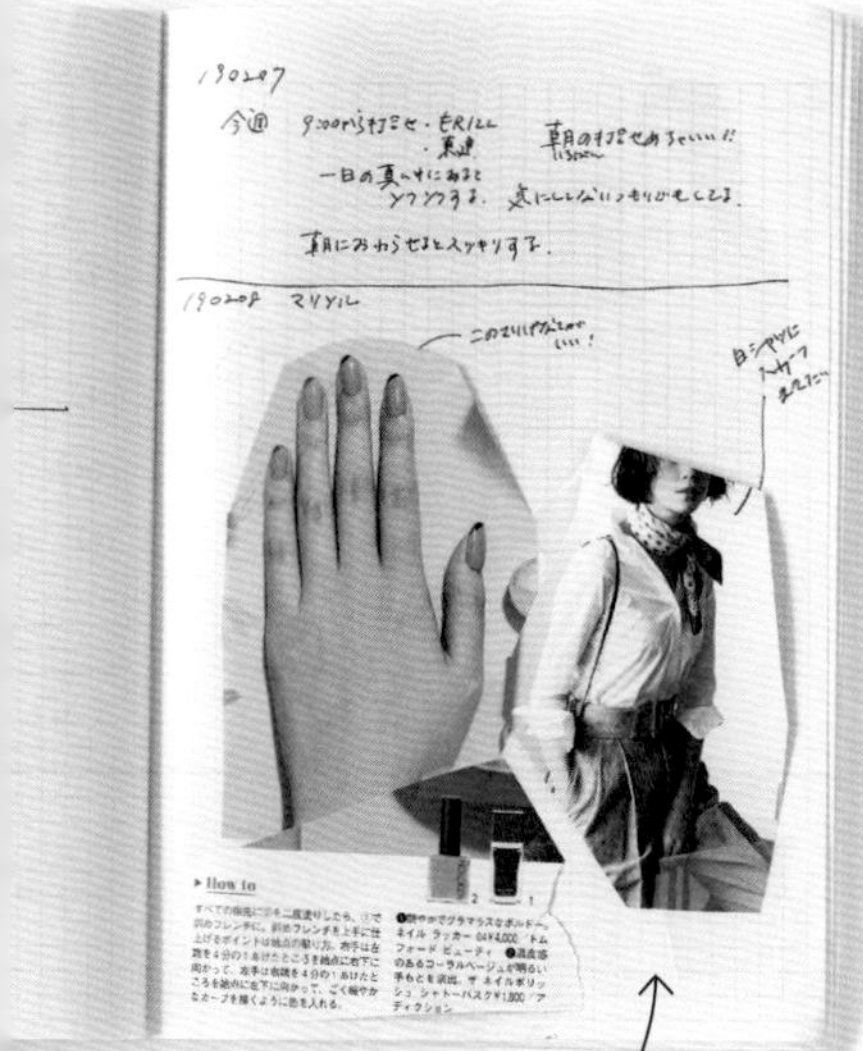

「いいな！」と思った
ファッション

心が動いたお便り

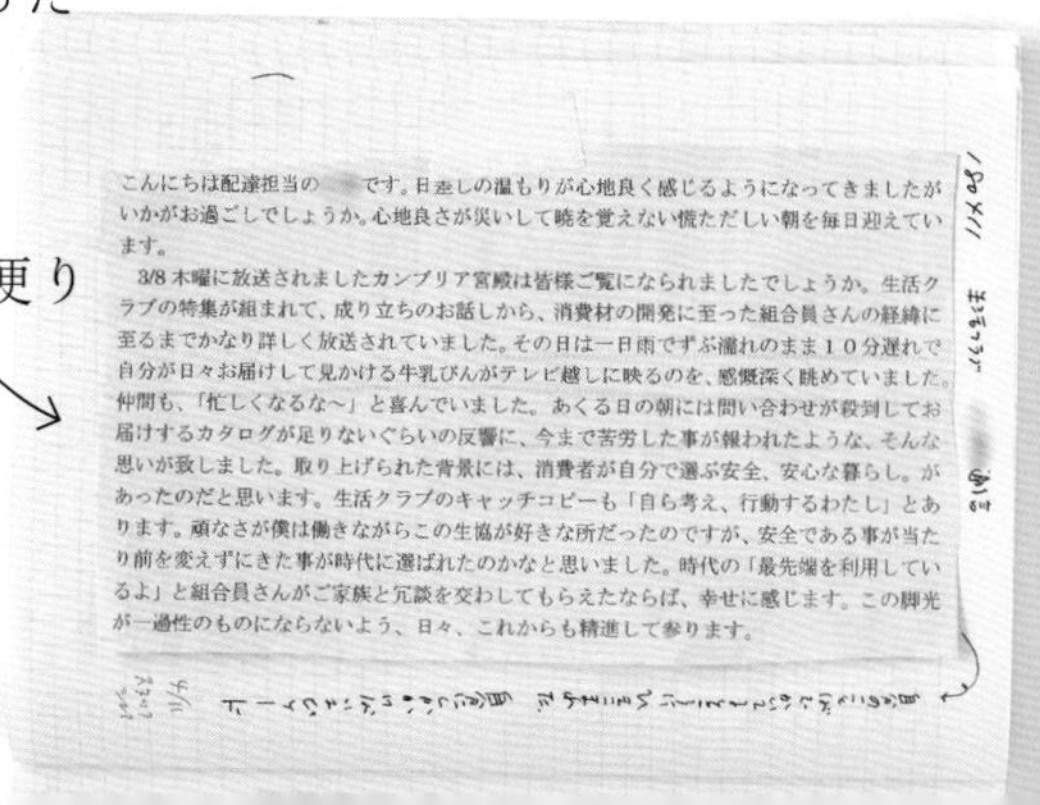

家族と自分の不調パターンがわかる

小さく生まれたわが家の双子は、幼い頃風邪をひきやすく、特に娘は点滴のお世話になることもたびたびありました。マイノートに「どうしたら水分を上手にとれるか」「どんなパターンが嘔吐につながるか」を記録できたので、あとでとても助かりました。

双子が12歳になった今は、ときどき出る息子の蕁麻疹《じんましん》を記録しています。マイノートに記録をつけていると、特定の食材を食べたあとに出やすいとわかってきました。マイノートに日付も書いてあるので、スマホで検索すれば症状の写真もすぐ探せます。「全部スマホに残しては？」と思われるかもしれませんが、写真だけだとどこに何が書いてあるかがわからなくなるので、基本はマイノートに、が自分の中ではいちばんしっくりきています。

また、わたしの花粉症対策にもマイノートが役立っています。人によって症状が違う花粉症は、自分の毎年の記録がいちばん参考になります。数年のマイノートを見返すうちに、合う薬や飲み始めるといいタイミングもわかってきました。

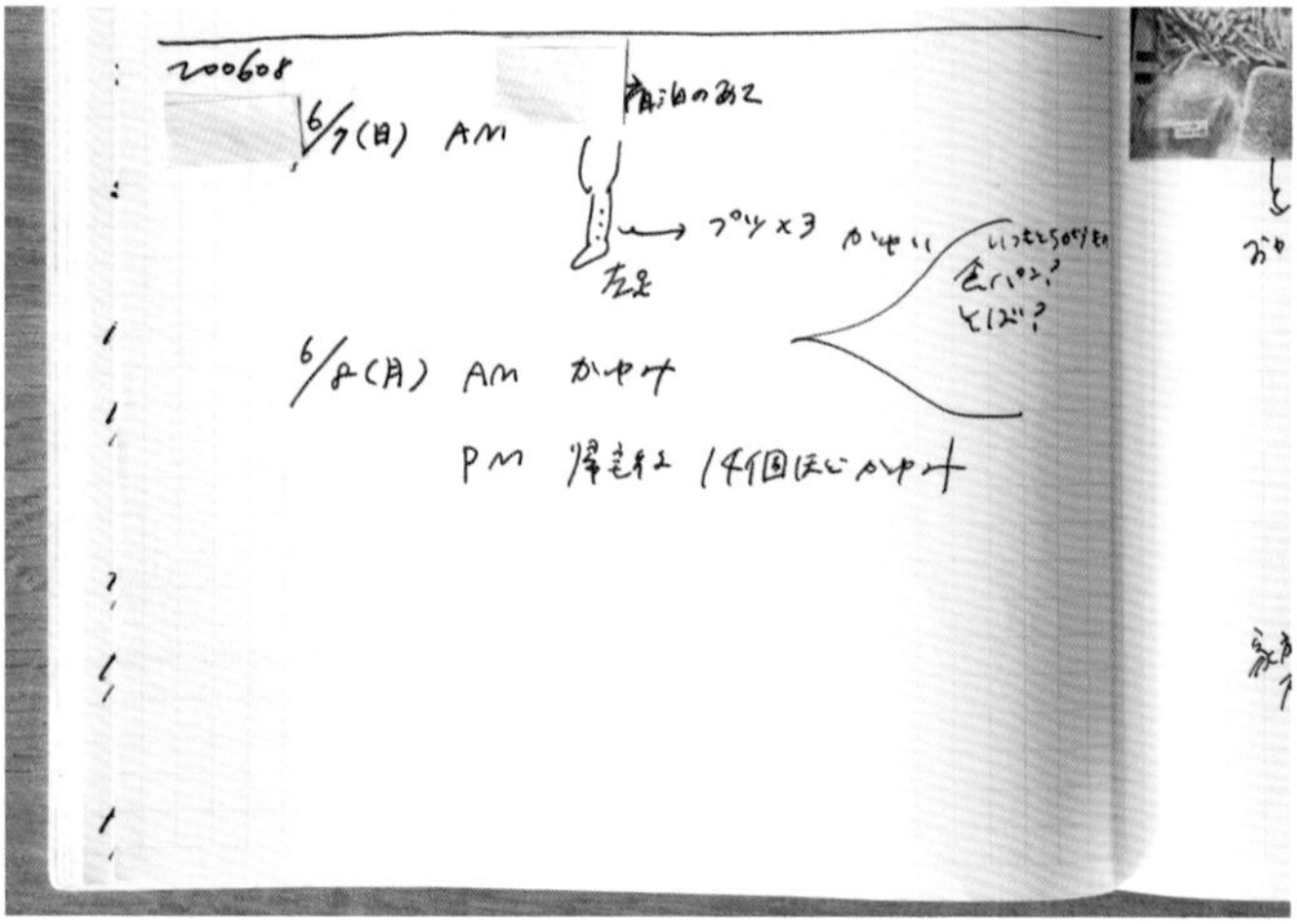

子どもの不調の記録

息子に蕁麻疹が出たら、日付、部位、そのときの条件（食べたもの、行動）などを記録しておきます。

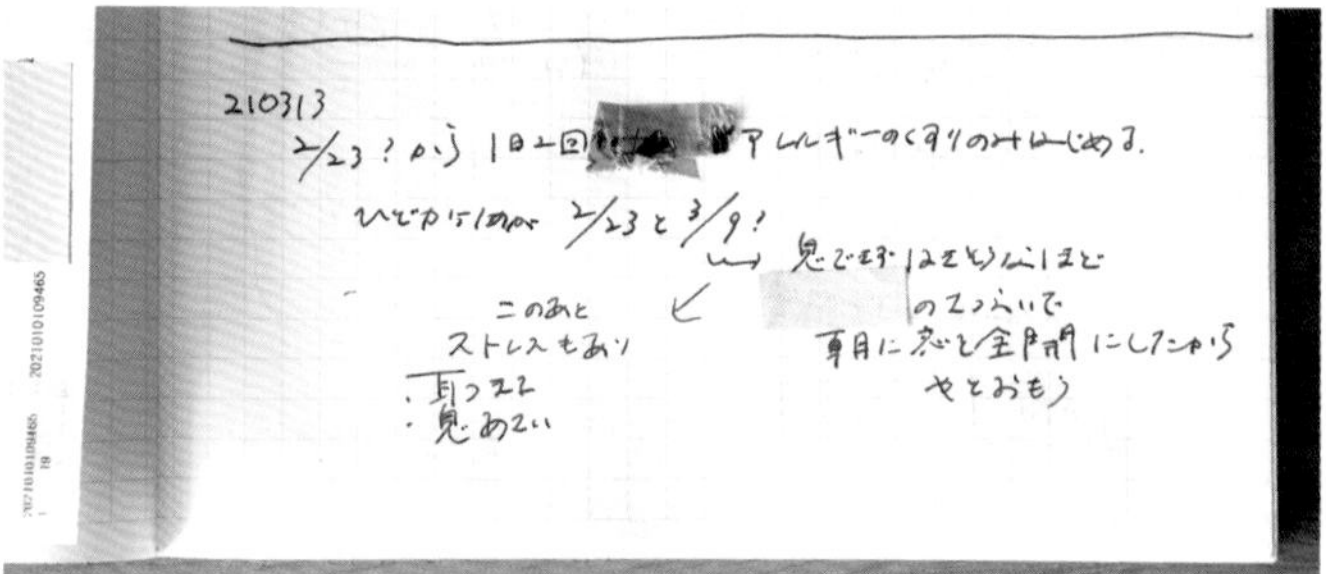

わたしの不調の記録

花粉症の症状がとてもひどかった日、なぜいつもよりひどかったのか行動を振り返って、再発を防止。

自分の体の
メンテナンスに
意識がもてる

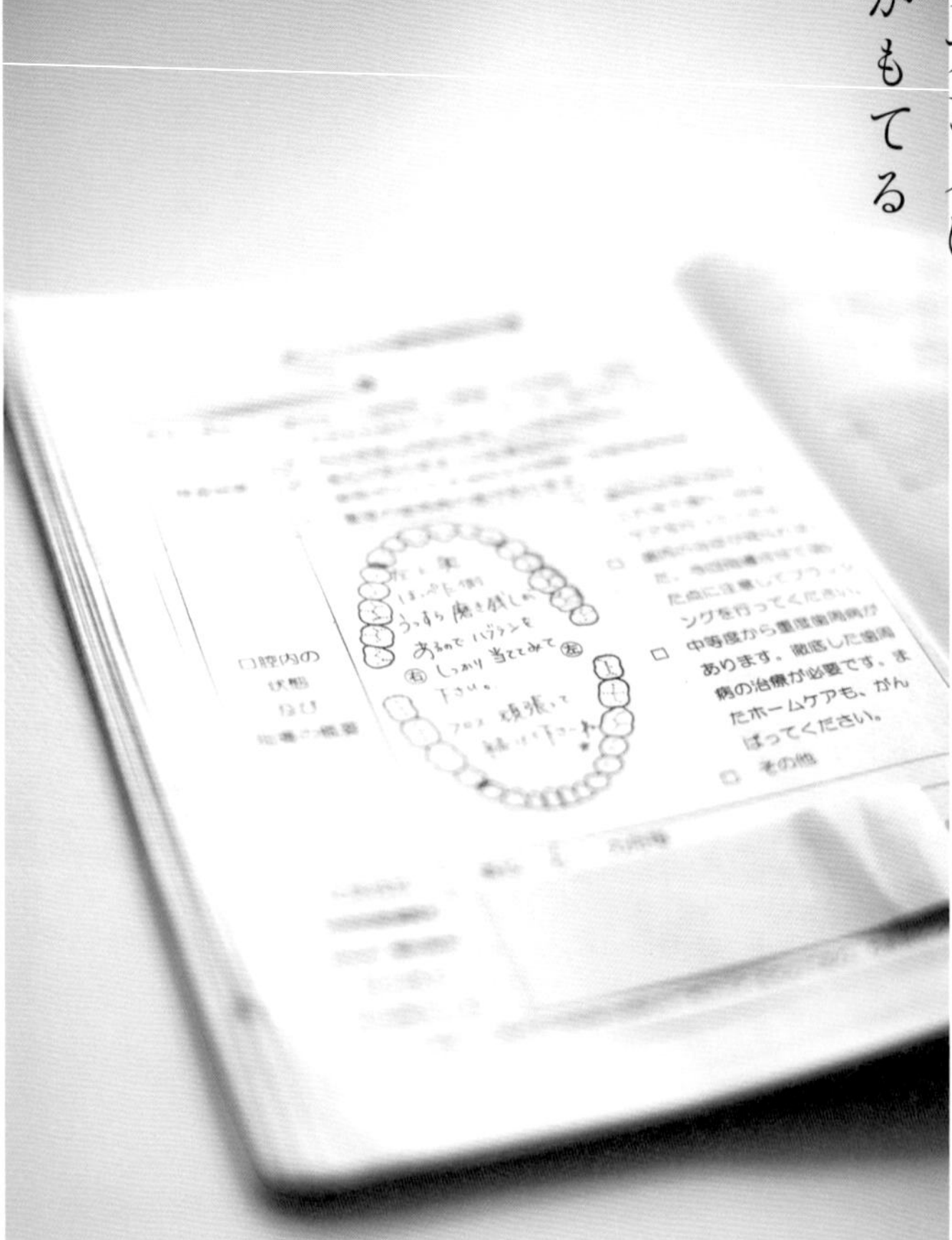

歯医者さんでもらった磨き残しの記録。引き出しにしまうと忘れてしまうし、冷蔵庫に貼りっぱなしにすると風景化してしまうので、マイノートに貼って時々目にするのがちょうどいい。

歯科の定期検診でもらった「磨き残しのチェックシート」。こういった紙をもらったら、診療明細書などと一緒に引き出しにしまわれる方も多いのではないでしょうか。

わたしは、マイノートに貼ることによって時々目にするので、「この歯の後ろ側の磨き残しに気をつけよう！」と意識できるんです。すると歯を磨くときにもこの図がパッと頭に浮かんで、「あ、次の予約までに頑張って磨こう！」というふうに自分のメンテナンスの心がけにつながるんですね。

整体に行ってアドバイスしてもらったことや、体幹トレーニングを何分間できるか、ダイエット中の体重や意識していることなども、マイノートにはメモします。自分の体にとって必要なことを書いておくと、見返すたびに意識がもてて行動が変わってきます。一般的な雑誌には多くの人に必要な情報が載っていますが、マイノートは「自分にとって必要な情報だけが詰まった雑誌」のようなものなんです。

自分にぴったりのものが買えるようになる

「みかんが大好きなのですが、お気に入りに出会えることが少なく……。たまたまスーパーで買った甘くて濃厚なみかんに感動して品種が書かれた紙と一緒にマイノートに書き込むと、毎回間違いなくその品種のみかんを買えるようになりました」

読者の方から教えていただいたエピソードです。日々の小さなことですが、お気に入りのものに確実に出会える喜びは最高！ですよね。記録をしていなければ毎回、後悔の連続だったかもしれません。わたしもマイノートを使って自分の買い物に役立てています。ひとつは、買い物の振り返り。何か買ったら、「よかった点」「悪かった点」「次に活かすこと」をマイノートに書き出します。これを繰り返すと、自分だけの買い物のルールが確立してきて、失敗がほとんどなくなってきました。自分の「購入履歴」は最高の教材で、買い物のクセも、失敗するパターンも、成功するパターンもここにすべて詰まっているんです。

新しく買うものを検討するときも必ずマイノートを開いて、「欲

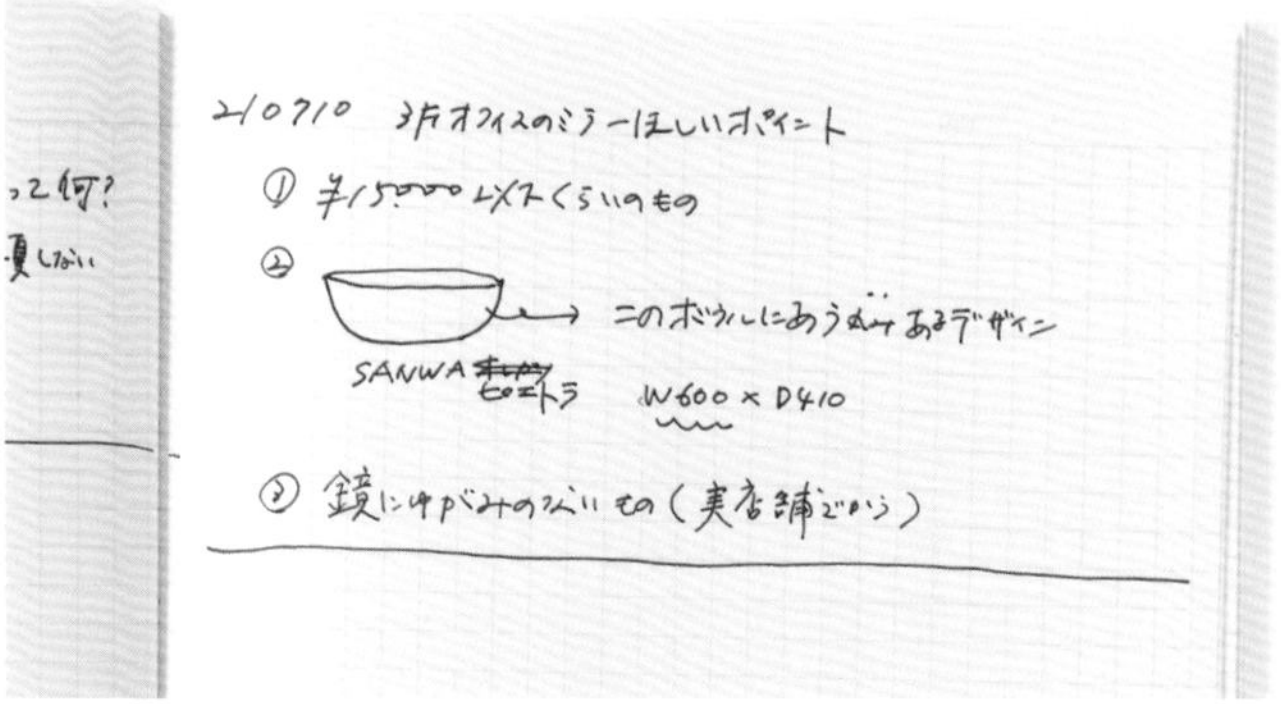

オフィスの洗面台に置きたいミラーの条件を書き出し。後日、Zara Homeのセールで掘り出しものを発見！

しいポイント」を3つ書き込みます。このとき、価格やサイズなど数字を入れること、「色は○○」「形は△△」など具体的に書くのがコツです。自分の優先順位がわかっていれば、情報に振り回されずに本当に欲しいものを選ぶことができます。

服選びで迷わなくなる

毎回似たような服を買って失敗したり、選んだ服が似合っているかどうか自信がなく過ごしていませんか？ 普段から、自分でも「今日はいい感じ！」と思えた日のコーディネートや、形や色が似合っている、と言われたことをマイノートにメモしてみてください。また、雑誌から好きなコーデや服の写真を切り抜いてマイノートに貼るとき、必ず「どこがいいと思ったのか」も一緒にメモ。同じ写真を見ても、「丸いバッグがかわいい」と感じるのか、「色の組み合わせがいい」と感じるのか、人によっていいと思うポイントはまったく違います。なぜこの写真がいいと思ったのか、自分の心の動きを考えてメモすることが、マイノートを自分に活かすコツです。

マイノートで好きなファッションのポイントが頭の中に蓄積されると、自分の「好き」がクリアに。すると、SNSで多くの情報が目に入っても、店員さんにすすめられて迷っても、「わたしの『好き』はこっち」と自信がもてます。

褒められた服をメモする

「似合ってる！」と言われたら今後に活かせるチャンス。「ここがよかったのかな？」のポイントを書き出しておきます。

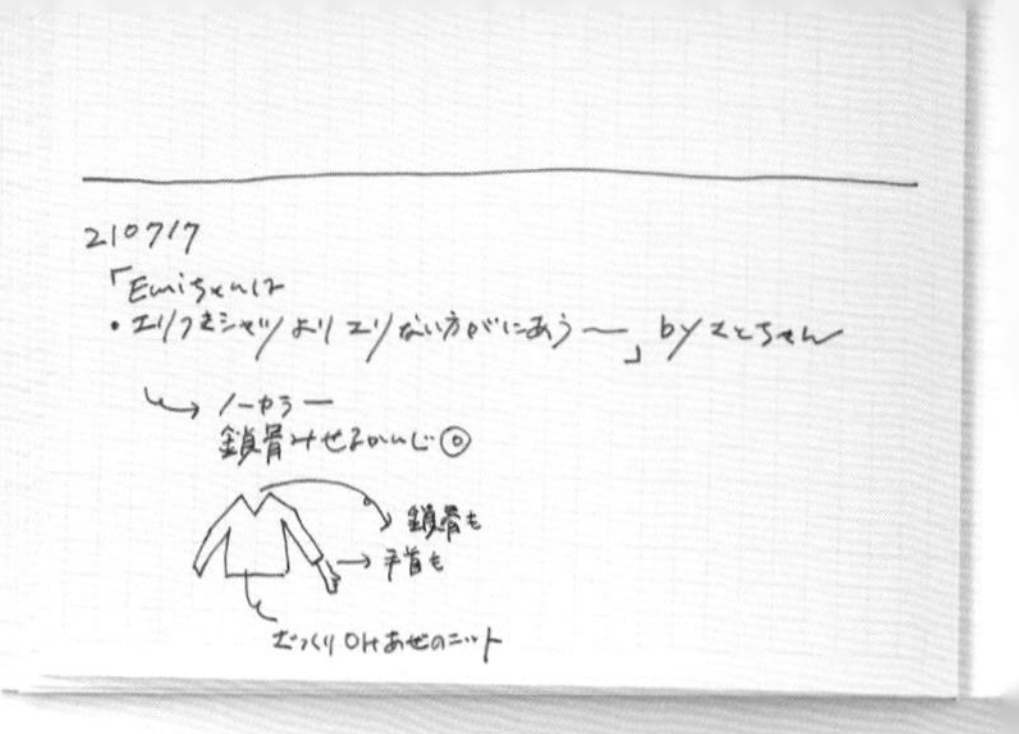

雑誌の切り抜きで「好き」を見つける

好きなコーデや服を切り抜き、どこがいいと思ったのかマイノートにメモ。見返すたびに「わたしの好きなスタイルはこれ」と教えてもらえます。

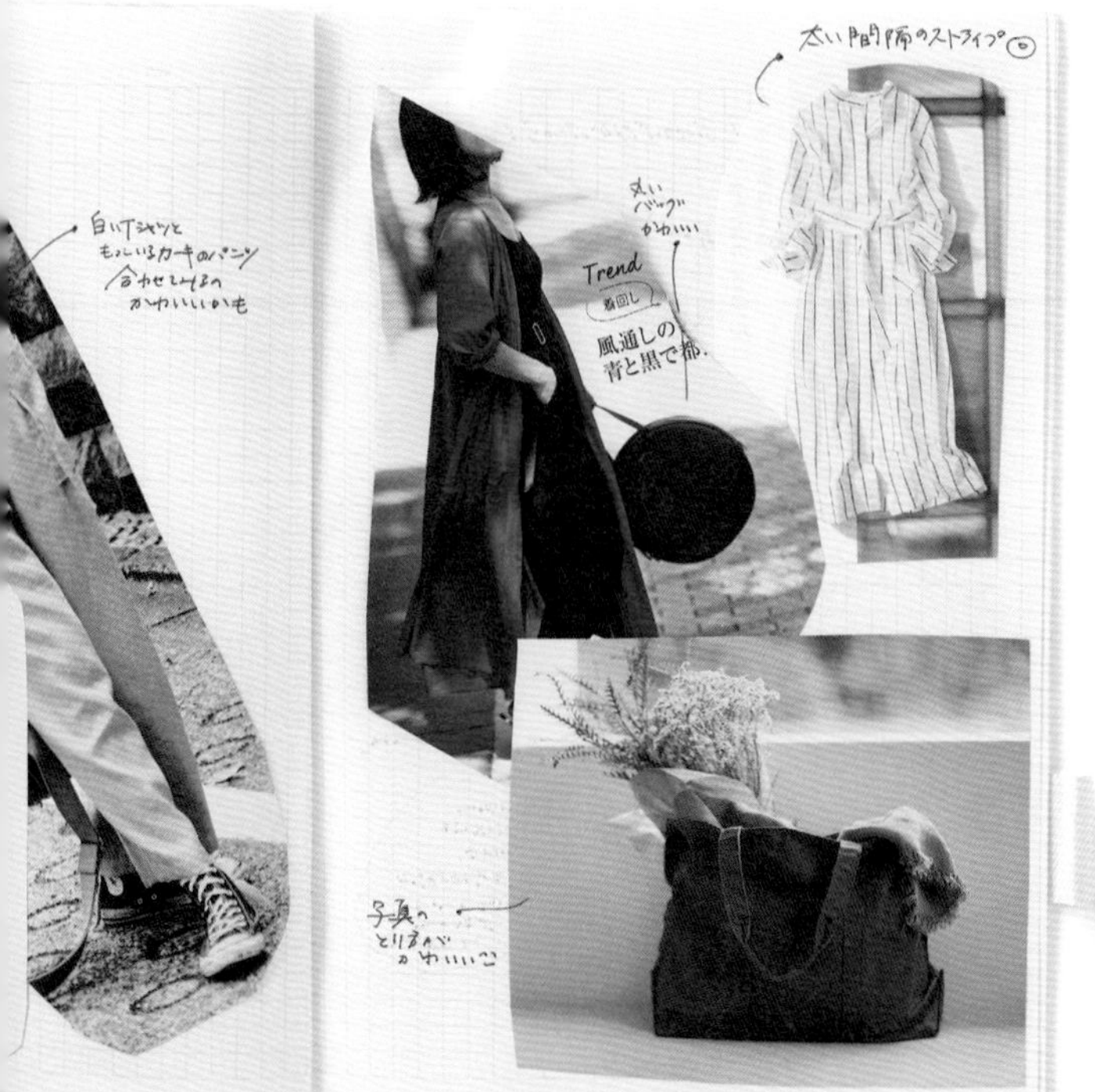

旅行や観劇の思い出を何度も味わえる

楽しかった家族旅行、感動で胸いっぱいになった観劇。マイノートにそのことを残しておくと、見返すたびに追体験ができます。わたしはマイノートを振り返って西表島《いりおもてじま》、沖縄本島の旅、それから宝塚歌劇に一年に何度も訪れています（笑）。

ポイントは、ラフでもいいから、手書きのイラストを残すことです。たとえば宝塚歌劇のトップスターの九頭身のイラストを書いておくと、それを見れば一瞬で劇場に戻れます。「生まれもった華！」「オーラがひときわある！」のメモから、感じた記憶をまた思い出すことができます。

旅行の場合、行った場所や出来事を時系列で記録。そうすると振り返りやすく、順を追ってもう一度旅ができます。思い出は写真で残す方も多いと思いますが、写真だけだと面白かった小さなエピソードを忘れてしまいがちで、旅のマイノートを開きながら写真をあわせて見ると本当に鮮明に思い出せるんですよ。

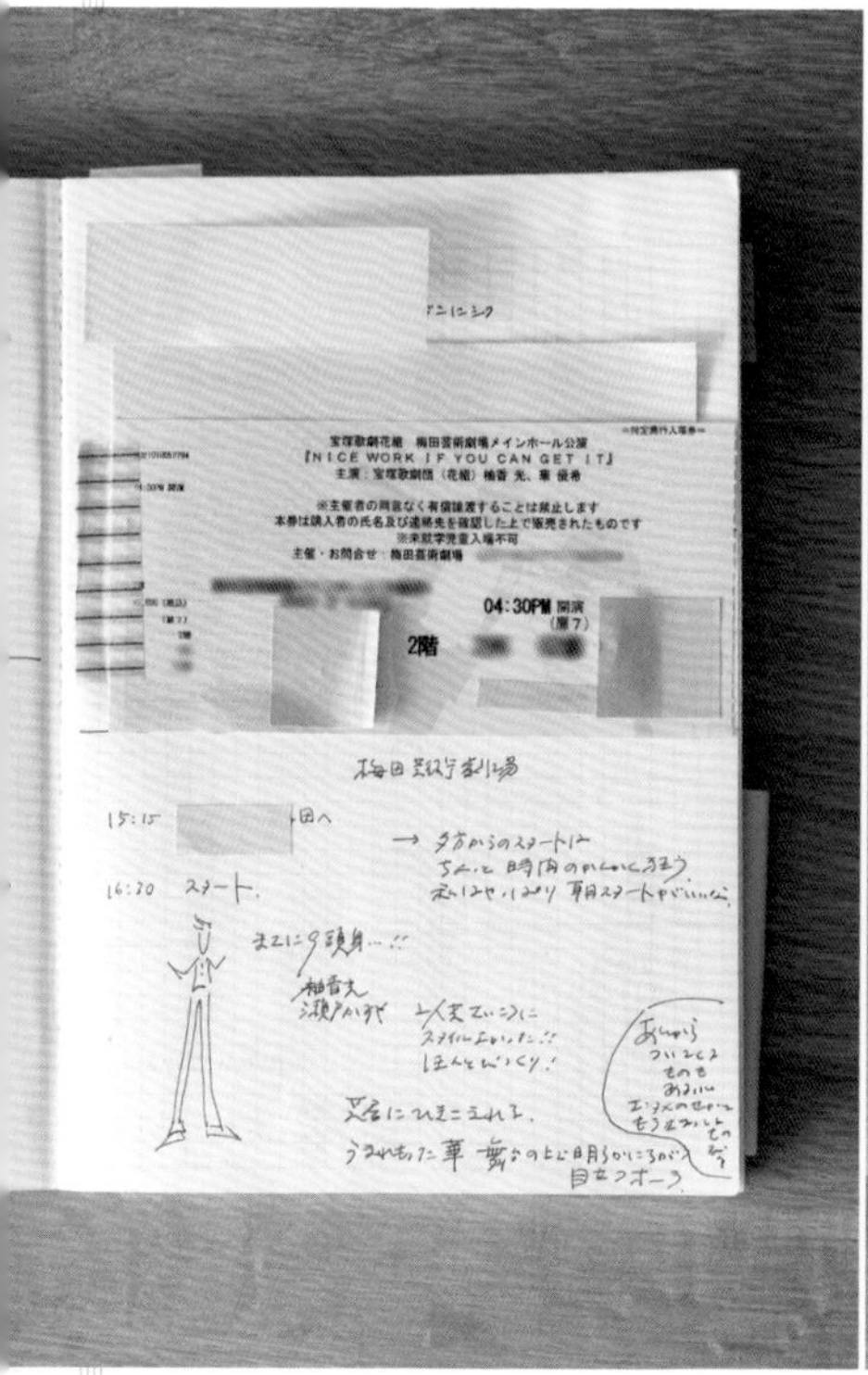

観劇の記録

観劇して感じたこと、どんな演目だったか、感動したことなどをメモ。チケットも貼っておきます。

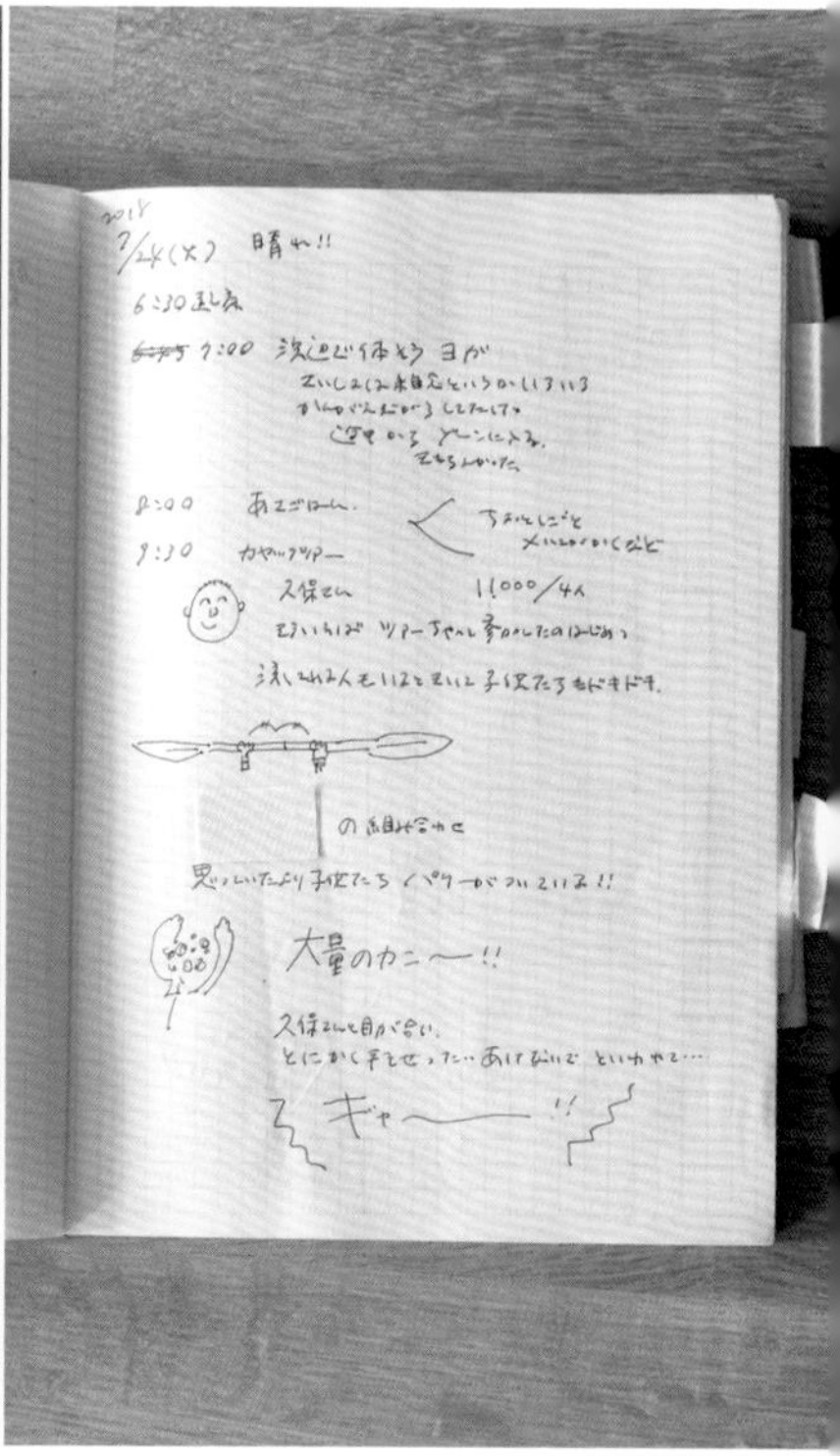

旅行の記録

ちょっとしたイラストがあると記憶が蘇りやすい。次の旅に行く前には必ず見返してルートの参考に。

実用書は読みながら、「感想と行動すること」を書く

小説やエッセイなどは没頭して読む時間が楽しみですが、ビジネス本や暮らしのテクニックなどの本は、読んだあと、自分の暮らしに活かしたいですよね。わたしはいつからか、そういった本を読むときは必ず「本を読みながら、マイノートを書く」ように。「あとで書こう」は結局できないことが多いものです。それなら、読みながら思ったことをマイノートに残せば、読むのも書くのも一度に完了します。

書きかたは、ノートの真ん中に縦に線を引き、左に「内容の要約」、右に「感想」と「行動すること」を書くというもの。こうすると「読んでおしまい」「内容を忘れてしまった」とならず、本当にいいと思ったポイントを思い出せて、生活に活かせます。この本を読みながらもぜひトライしてみてください！

実用書以外の本は、読み終わったあとに感想をマイノートにメモ。感動したポイント、自分はどう思ったかなどを残します。

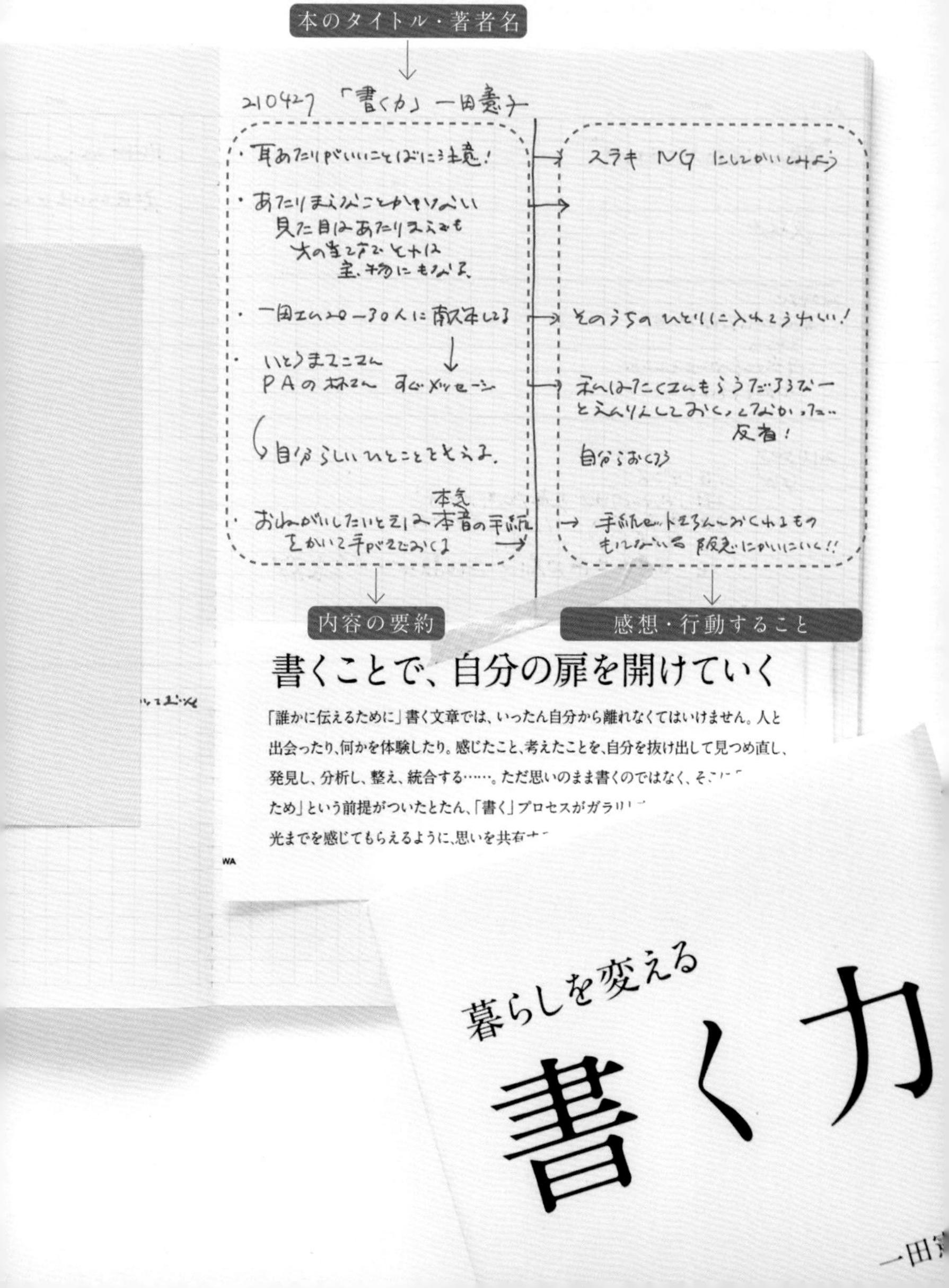
本のタイトル・著者名
210427「書く力」一田憲子
・耳あたりがいいことばに注意！
・あたりまえなことかかない
見た目はあたりまえでも
宝物にもなる。
・一田さん20−30人に取材してる
・いとうまさこさん
PAの林さん すぐメッセージ
自分らしいひとことをそえる。
・おねがいしたいときは本音の手紙をかいて
反省！
内容の要約
感想・行動すること
書くことで、自分の扉を開けていく
「誰かに伝えるために」書く文章では、いったん自分から離れなくてはいけません。人と出会ったり、何かを体験したり。感じたこと、考えたことを、自分を抜け出して見つめ直し、発見し、分析し、整え、統合する……。ただ思いのまま書くのではなく、そこに「
ため」という前提がついたとたん、「書く」プロセスがガラリ
光までを感じてもらえるように、思いを共有す
暮らしを変える
書く力
一田

時間の使いかたが上手になる

「時間の使いかたを見直したい！」と思ったら、**まずは「今」のリアルなスケジュールを書き出します。**つい理想のスケジュールを先に書きたくなるのですが……理想が高すぎて書いても結局達成できないことが続き、今ではまず現状の把握のほうが大事だとわかってきました。「今」のスケジュールを書くと、「ここの順番を入れ替えようかな」「メイクにかかる時間をもう少し短縮したいな」と、課題がわかって行動につながりやすいのです。

また、**うまくいった時間の使いかたを振り返るのもおすすめです。**「4月はなんだか生活のペースがよかったな」「今朝はいつもより30分、時間の余裕があったな」など、普段より調子がよかったらメモします。うまくいかなかったことの振り返りよりも、次に活かせることがたくさん見つかるんです。

理想のスケジュールを書くのは、時間を見直した先に「何をしたいか」がはっきりしているときがおすすめ。「朝30分英語の勉強をする」など目的が決まっているとうまくいきやすいです。

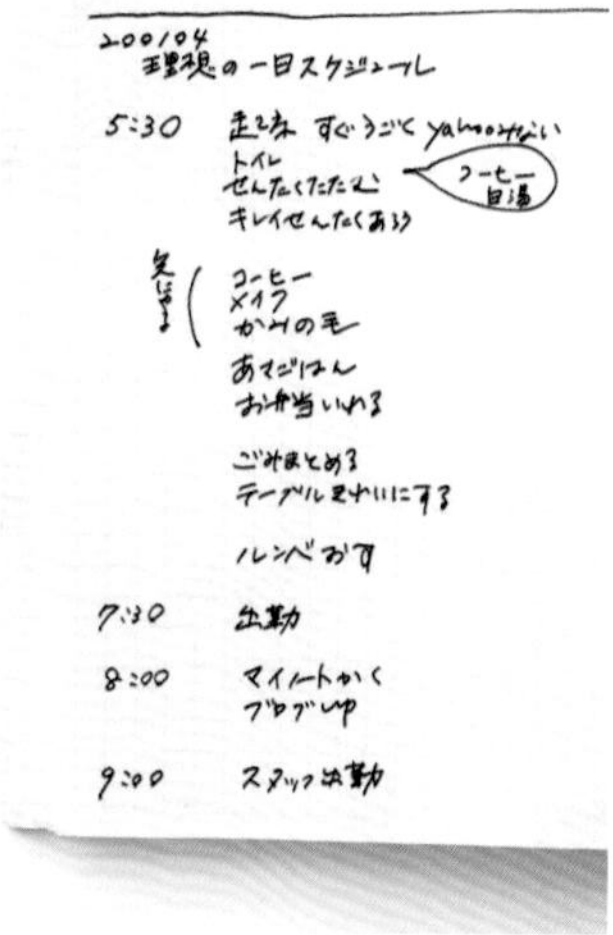

理想のスケジュールを書く

自分の考えを文章にする時間がとりたくて、起床時間を30分早める計画を立てました。

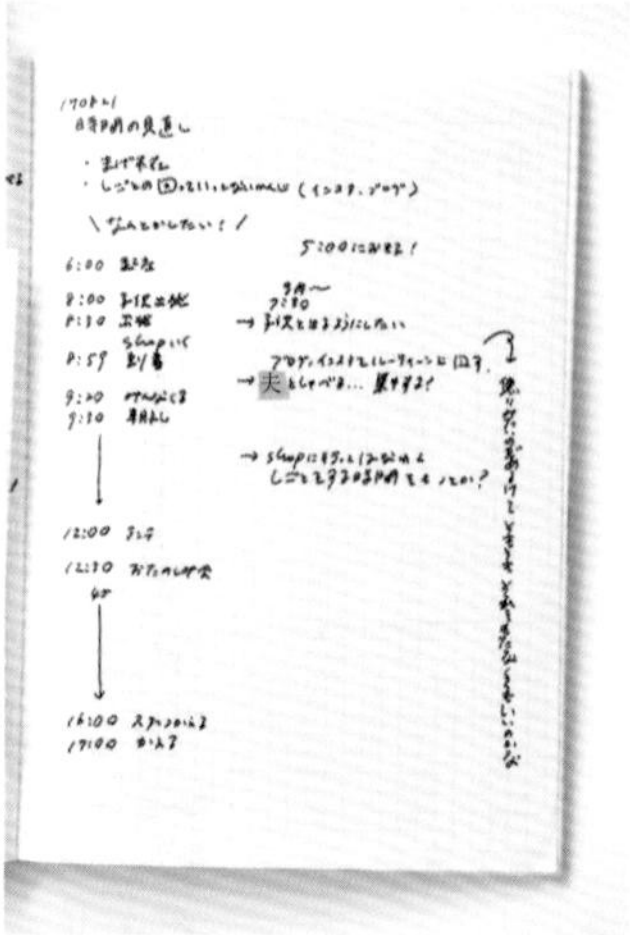

今のスケジュールを書く

時間の使いかたを見直したいと思ったら、まずは現状を書き出し。改善ポイントを探します。

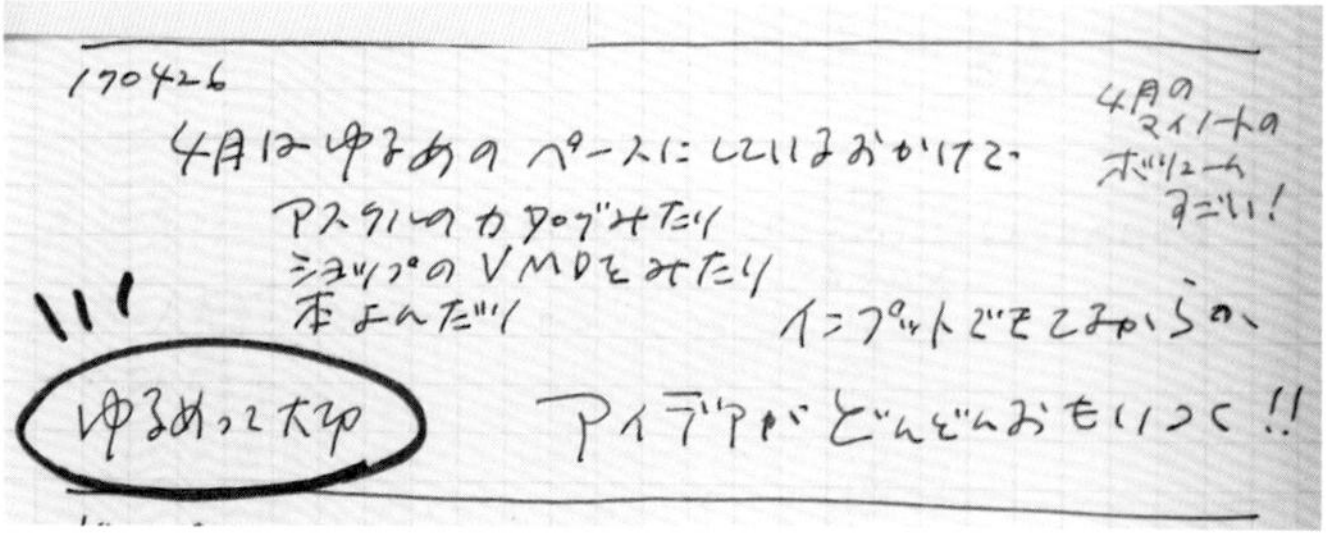

うまくいった時間の使いかたを振り返る

仕事や生活がうまく回っているときは、なぜよかったのか、を振り返ってメモしておきます。

家づくりや
収納を考えるのに役立つ

自宅をリノベーションした際、方眼紙ノートを「1マス＝10センチ」と考えて、左ページのように収納をプランニングしました。そのほかにも雑誌やフリーペーパーを見て「こんな家がいいな」と思ったら切り抜きをしておいたり、部屋づくりのアンテナに引っかかったものはなんでも残しています。そうすることで担当の方にも伝えやすく、とても助かりました。

ふと「家事室が欲しいな」などと思ったら、現実的ではなくてもイメージを書いておくのもおすすめです。自分に正直になって諦めずに考えを広げていくと、いつか何かにつながります。実際、レッスン生の中にも、転勤族だから持ち家は無理、でもSNSを見ていいなと思った戸建てをマイノートに記録していた、という方がいました。人生は何が起こるかわからないもので、その後転職されて急に家を建てることに！　そんなとき、マイノートの貯金がとても役立ったと話してくださいました。みなさんもぜひ今感じる正直な憧れや気持ちをマイノートに記してみてくださいね。

CLOSET

クローゼットはつくらず、スチールラックに服を収納しようと計画。並び順、棚板をつける場所も事前に決めて。

STORAGE

洗面所の背面に大きめのスペースを空けて、生活の道具と入浴後に必要な衣類をここにすべてまとめることに。

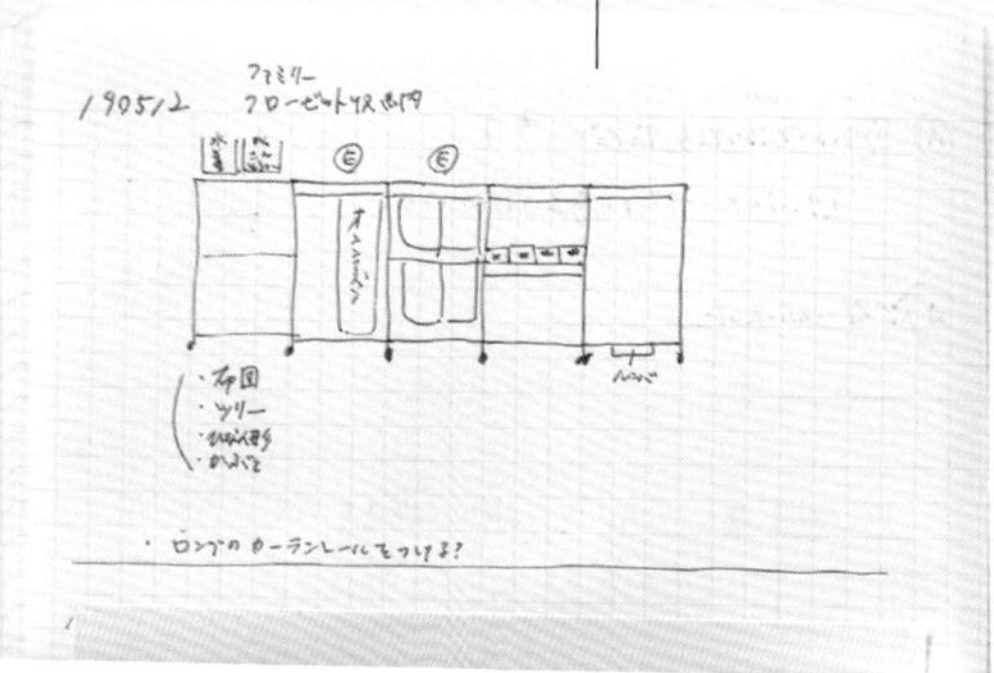

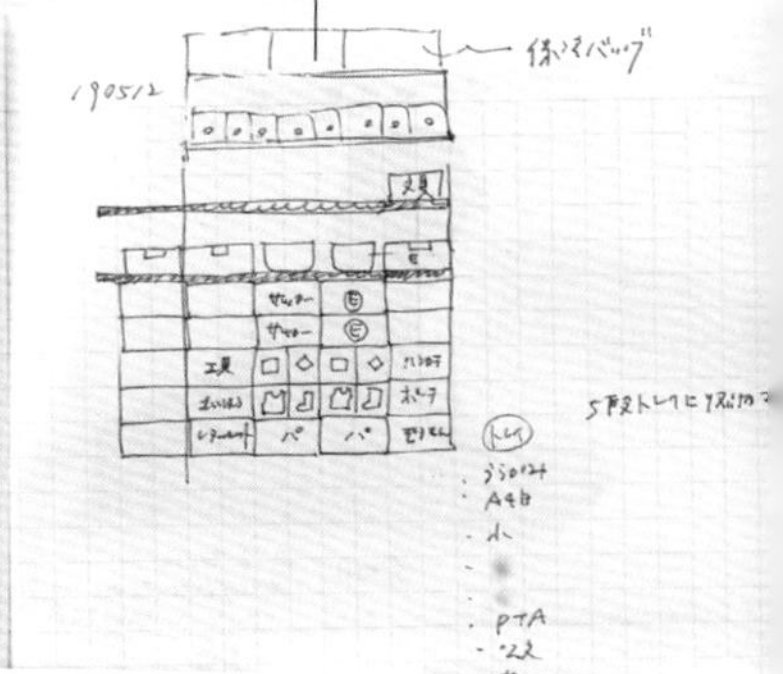

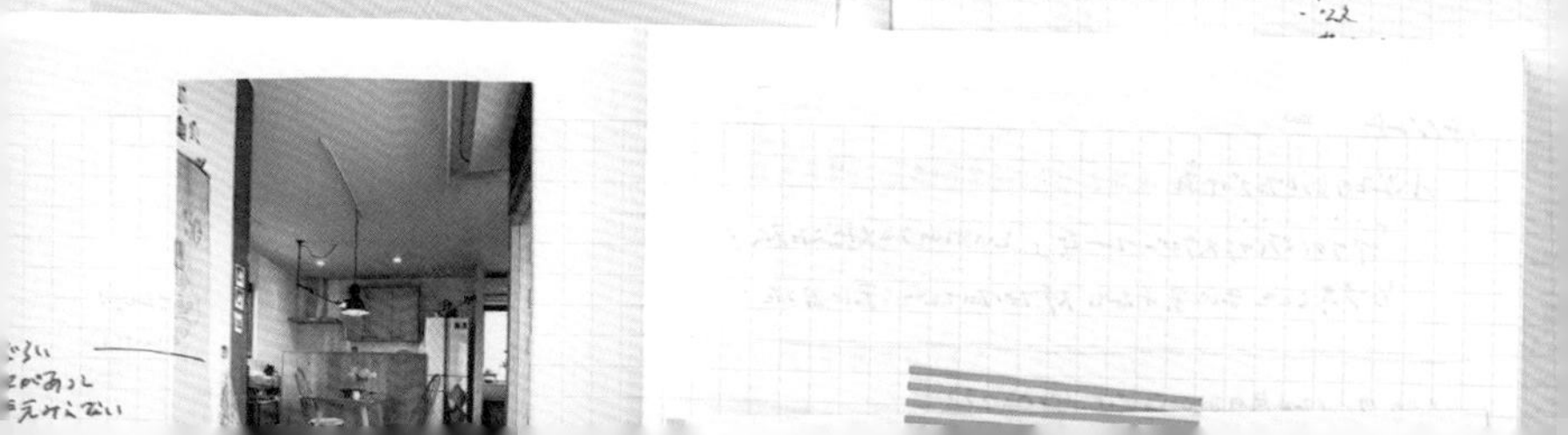

書いててよかった!

みんなのマイノート episode

生活・家族編

以前は気づきを手帳に書いていましたが、子どもが生まれてからはマイノートに切り替え。育児は当初、「わたしうまくできてる? 大丈夫かな?」と思って書き綴っていましたが、今見ると「よくやってるね、頑張ってるじゃん!」と自分自身にエールを送りたい気持ちになります。手帳は空欄が多いと少しネガティブな気持ちになりますが、マイノートはそれがないのもいいです。書けなくても罪悪感はもたない。マイノートに縛られるのではなく、あくまでも自分が主人公で!楽しく書いています。

（ピノ子さん／マイノート歴4年／9冊目）

子どもたちは中高校生で、学校や部活での楽しいことはもちろんですが、勉強がつらそうなこと、いろいろあって泣いて帰ってきたことなどもマイノートに書いていました。振り返って読むたびに、「子どもってこんなに悩みを抱えながらも毎日頑張ってるんだ!!」と思うと、せめて家では怒らないやさしいお母さんで接してあげようと、わたしの気持ち（大げさに言えば、性格）さえも変わった気がします。だからなのか、家での子どもたちは毎日たくさん笑って、反抗期などなく育ってくれている気がします。

（ホームランさん／マイノート歴5年／9冊目）

今年、中学受験を終えた長男がいます。長男のサポートをする中で、受験期間は親も気持ちが揺れ動くことが多かったのですが、そのたびにマイノートで自分の心の軸を確認して、落ち着かせていました。コロナ禍の受験は非日常だったのですが、あえて日常の細々とした楽しいことを記すことで、「いつもどおりの日常生活を大切にしよう!」という気持ちも強くなり、いい雰囲気で日々を過ごせました。

（Aさん／マイノート歴7年／45冊目）

下の子が幼稚園に行きたくないと言った時期があったのですが、マイノートにそのときの子どもの様子や言葉、わたしの対応や気持ち、先生との会話などを毎日書いていました。書くと、頭の中でぐるぐる考えていることが可視化されて、子どもの望んでいることや自分の気持ちが客観視でき、気持ちの余裕を持って対応できたのではないかと思っています。

（たえちゃんさん／マイノート歴2年／4冊目）

長男のピアノ教室選びにマイノートが活躍しました。見学の記録、息子はなぜそこまでピアノを弾きたいのか、あれこれ思考をめぐらせるきっかけに。習い始めて数年経った今、ピアノが少し面倒になったり、男の子でピアノを習っている子が少ないことに薄々気づいたり、気持ちがスポーツに傾くことがあっても、「長い目で見たらスポーツとの両立は彼にとって絶対にいいよね」「こういう曲が弾けるおじいさんになりたいって言ってたよ」と寄り添えている気がします。

（Kさん／マイノート歴8年／8冊目）

ひとり目の育休期間、実家が遠く頼りは夫のみ。わたしばかり育児の悩みに対して調べたり行動する中で夫に不満がたまり、離婚の話が出たり、鬱っぽくなってしまいました。マイノートは実践していませんでしたが、ある夜中にイライラを紙に殴り書き。ペンを動かすうちに「わたしってこんな短期間で親として成長してる！ 親になれてる！」と書いていました。それからは、すっきりを目指してマイノートを書く日々に。子どもからもらう手紙も、お出かけ先のチケットなども貼りつけて、一生に一度しかないわたしの人生を前向きに書き綴るようになりました。最近、調べ物をしていて、気づいたのです。このマイノートは認知行動療法に似ているんだなぁと。同時に、人って少しの行動で変わることができるんだなぁと思いました。

（yama＊nonさん／マイノート歴6年／2冊目）

column
みんなの
マイノートに
もっと深める
アドバイス！
4

Emiさんみてね
わたしのマイノート

Sさん
フリーランス

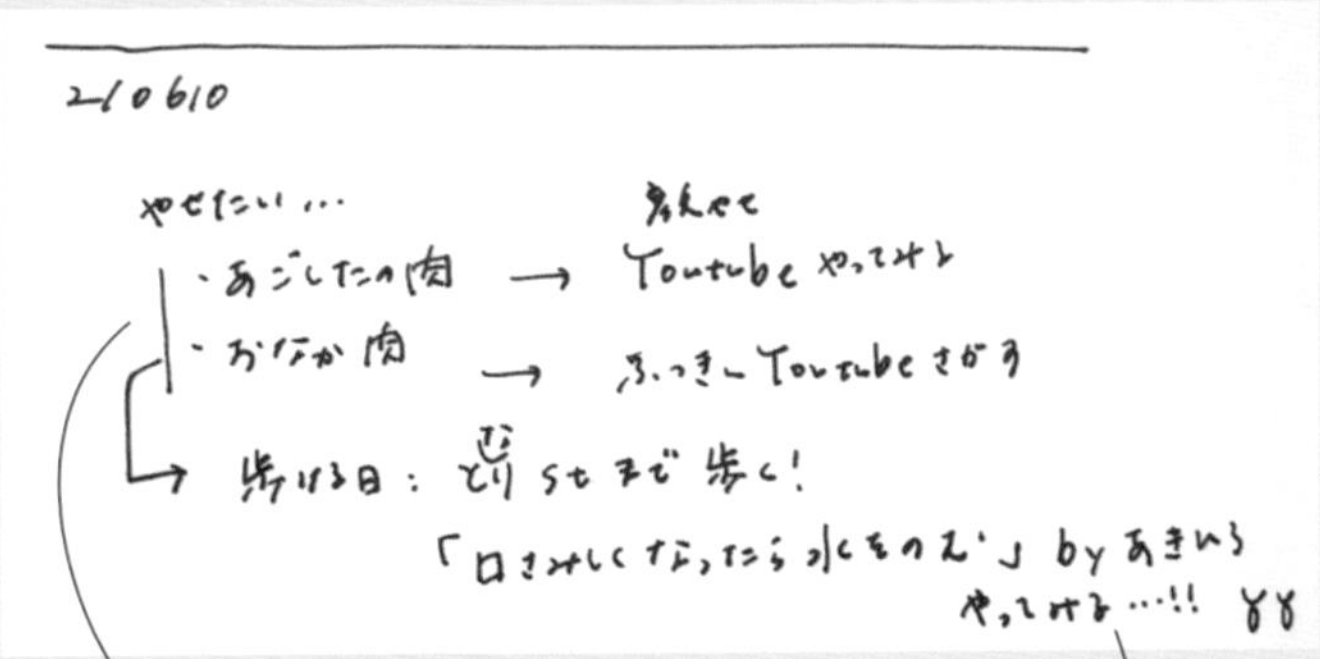

体のどの部分をやせたいかを
具体的に書いていてgood！
でももう少し踏み込むなら、
「やせたい」だけでは漠然としているので
○kg→○kgになりたい！と
数字で明確に書くと意識が
変わりますよ！

いつやるの？まで
一緒に書いていると、
さらに実行に移しやすい
ですよ～！

アドバイスを受けたSさんの感想

なるほど！ 体重と期日を書くのですね。2ヶ月後に子どものイベントでプロに写真撮影してもらう機会があるので、「撮影日までに3kg減目標」と書き込みました。漠然としていた願望が一気に身近な目標に！

5

マイノートで人付き合いが変わる

エピソードが豊富な人は
もっともっと話したくなる！

「子どもがふたりいて、会社員で料理が好きです」。

これももちろん自己紹介のひとつですが、

「3歳と1歳のやんちゃな男の子兄弟の母です。平日はフルタイムで働いていて、両立に悩みながらも人に恵まれ、働くのが大好きです。今はレンジでできる時短料理に目覚めています！」

そんな自己紹介をしたら、すごく記憶に残りませんか？　そこで同じ男の子兄弟の親御さんが声をかけてくれるかもしれないし、時短料理が得意な方がレシピを教えてくれるかもしれません。

そんなふうに、具体的なエピソードがあると、人は共通点を見つけたり、もっと話を聞きたい、と感じるものだと思うんです。

誰かに話を振ったとき、「それならこんなことがあって……」と話を広げてもらえるとうれしいですよね。話すエピソードが細かくて豊富な人とは、もっともっと話したくなります。

「エピソードをたくさん出そう」と頭の中でいくら考えていてもなかなか出てきません。

そこでマイノートの登場です。普段から何気なく「息子たちがパンツを頭にかぶってリビングを駆け回っていた……（笑）」とか、「平日のレンジ時短料理でおいしかった蒸し鶏」など、具体的なエピソードを書いておくと、エピソードの貯金をたくさんしている状態。書いて見返す、それをしているうちに「自分はこんなことに興味がある」と自覚するようになります。さらにアンテナが張られたり、記憶により残りやすくなっていく。そうすると、実際の記憶はなくなっていたとしても、仕事や子育ての具体的なエピソードをパッと話せるように！　気づけば同じ趣味の友人関係が広がったりすることになるかもしれません。

どんな人と気が合うかがわかるようになる

仕事でもプライベートでも、なぜか気が合い、そういえば長く関係が続いているな～、という方っていませんか？ わたしの仲のいいママ友を思い浮かべてみると、「子どもがいる目の前で、けなさず褒めている人」そして「仕事や趣味など〝子ども〟以外の話題をもっている人」なんです。

自分はどんなタイプの人といると気持ちがラクなのか、どんな人と話していて楽しいのかを知っていると、新しく友人関係を築くときにもとても役に立ちます。反対に、どんなタイプの人とうまくいかないことが多いか、またそんなときにはどうしたらうまくいったのかな？ など、自分の人生を振り返って書いてみると、共通点が見つかることも。

頭で考えるだけではイメージしづらいときは、昔のアルバムを引っ張りだしてきたり、スマホの連絡先を見てみたりしてみてください。そうすると、マイノートに書き出しやすくなりますよ。

「わたしらしさ」を発信すると世界が広がる

すでにマイノートを何冊か書いてきたという方は、パラパラと見返すとどんなジャンルの話題が多いでしょうか？ 繰り返しになりますが、マイノートを俯瞰《ふかん》してよく出てくるキーワードがあれば、それが「あなたらしさ」を表すポイントです。誰かと話していてもその話題は気になるし、マイノートに書き込まれることでしょう。せっかくならその内容を友人に話したり、もしくはネットで発信する、ＳＮＳでつぶやいてみる、というのはどうでしょうか？ 決して皆さんにＳＮＳを推奨したい！ というわけではないのですが、同じ興味をもつ仲間ができたり、自分にもよりよい情報が入ってきたり、といいことがたくさんあります。生活にハリができる、そんなイメージです。ちなみにわたしは今から14年前、よくマイノートに出てきた「片づけ」「収納」をブログで発信したことによって今こうして仕事になりました。内容は少しずつ変わっていっていますが、今もベースはマイノートに自分が記したことを発信し仕事や人間関係が広がっています。

誰かの素敵な行動を自然と見習える

日々暮らしている中で、周りの方の「あっ！　いいな！」と思える瞬間を発見します。たとえば、友人が送ってくれた「お返事急がないよ」のＬＩＮＥスタンプ。忙しいかな？　とわたしを気遣ってくれたやさしさ。歯医者さんが治療中に口を閉じてＯＫのサインとして、「ラクにね～ラクにね～」と言ってくれたひとことに、じーんときたこと（疲れていたのかな？　笑）。

そういった何気ないやさしさや素敵な行動をマイノートにずっと貯金しています。すると、ふとしたときに自分もトライしてみよう！　と思えるときがやってきます。忙しそうな仕事関係の方に「お返事、急ぎませんよ」と返したり、頑張りすぎているスタッフに「ラクにね～」と言えたり。そんなとき、「ああ、マイノートをつけていて本当によかった！」と思える瞬間があるんです。でもこれは書いただけでは忘れてしまう、何度も見返して頭の片隅でもちらっと残っているから実践できるのかなと感じています。

「してもらったこと」を思い出して感謝できる

とある心理学者の方によれば、人は、自分が「してもらったこと」の35倍多く、「してあげたこと」を記憶しているそうです。おそろしいですね（苦笑）。

わたし自身も生活の中で、周りへの感謝を忘れてつい、「わたしこんなにやってるのにな〜」なんて思うことがあります。だいたいそういうときは体が疲れ、心がやさぐれているとき（笑）。

そんなときマイノートを開いて、一年で目を見張る成長を見せてくれているスタッフのこと、ときにガツン！とカツを入れてくれる夫の言葉、小さく生まれたというのにここまで健康に育ってくれた双子たちのエピソード、そんなことが目に飛び込んでくると、「自分ばっかり！」と憤慨していたことが恥ずかしくなるくらい。誰かにしてもらったこと、の記憶をマイノートが思い出させてくれます。同じように感じている方がいたら、今日はそっとマイノートを開いて、「最近してもらってうれしかったこと」を3つ書き出してみてくださいね。

「オリジナル言葉」ひとつで記憶が全部蘇る

時々驚かれるのですが、飲み会の翌日は絶対にマイノートを書く！と決めています。面白い話、ためになる話がたくさんで残さずにはいられない（笑）。でも、ひとつのエピソードを1から10まで残すとすごく時間がかかるので、「印象に残ったフレーズ」をメモしておきます。特に自分や誰かがネーミングした言葉は、オリジナルな分、思い出しやすいように思います。p38で書いたように「固有名詞」はあとから検索するのに便利ですが、「オリジナル言葉」は言葉ひとつで自分にエピソード全部を思い起こさせてくれる効果があります。

たとえば、最近「ＯＵＲＨＯＭＥサスペンス事件簿」とメモしました。スタッフと雑談中に出た企画のタイトルで、わたしが探偵のようにみんなの自宅の収納にアドバイスするというもの。一言しか書いていないのに、マイノートに書いたこの言葉を見れば、スタッフとお昼休みに話していた状況も、大笑いした内容も一瞬で蘇ります。

友人の名前を見つけたら連絡をとるきっかけに

大人になると仕事や家庭、日常で忙しく、こまめに友人と連絡をとることが減りますよね。あっというまに1年2年と過ぎ、今さら連絡をとるのも……となりかねません。それもタイミングやご縁なのかもしれないけれど、わたしはできれば縁があった方とは、細くても長くつながっていたいなと、そう思っています。

そこで、パラパラと見返したマイノートの、数年前書いたページに、友人の名前を見つけると、「あ！　これはタイミング！」と思って「元気にしてる？」と連絡をするようにしています。

そこから久しぶりに会うことになったり、近況を報告し合ったり。その内容をまたマイノートに記したりすることもあります。もしマイノートを書いていなかったら、日常生活に追われて、彼女のことを思い出せていなかったかもしれない。人生の中でほどけそうになる人とのつながりを結び直すために、とても大切なツールだなと思うんです。マイノートを書いている方はぜひ、ふと目にとまったその方に、「久しぶり」と連絡をしてみませんか？

わたしのマイノートから 2

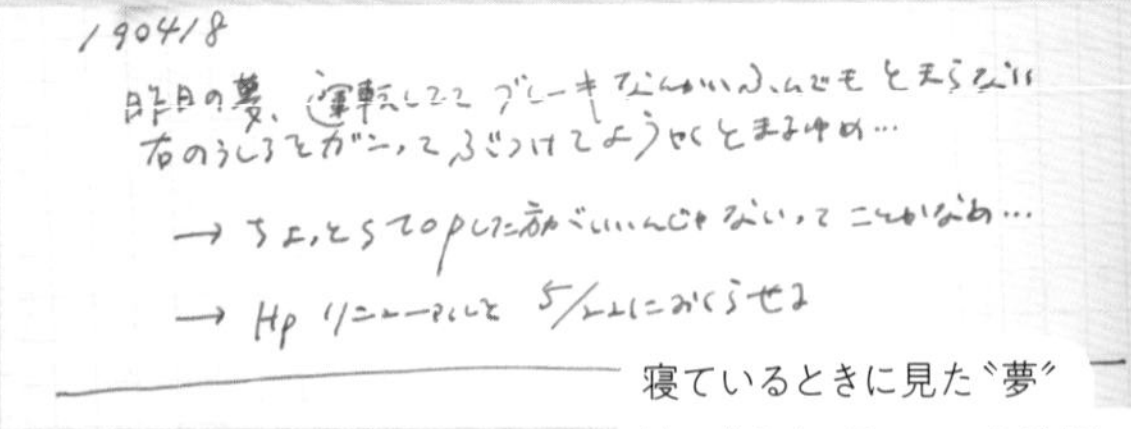

190418
昨日の夢、運転してて ブレーキ なんかいふんでも とまらない
右のうしろをガンって ぶつけて ようやく とまる ゆめ…
→ ちょっとstopした方がいいんじゃないってことかなあ…
→ Hp リニューアルを 5/21におくらせる

寝ている時に見た〝夢〟

怖い夢をよく見るのですが（笑）、時々その内容も残します。今は仕事のブレーキをかけたほうがいいのかも、と途中でペースダウンすることにつながりました。

夫と子どもたちの会話

「日本でいちばん売上のある会社ってどこやと思う？？」に答えた子どもの回答。ビジネスの英才教育してるな～と思ってメモ（笑）。何気ない会話の中に、家族のらしさ、が見えてくる。

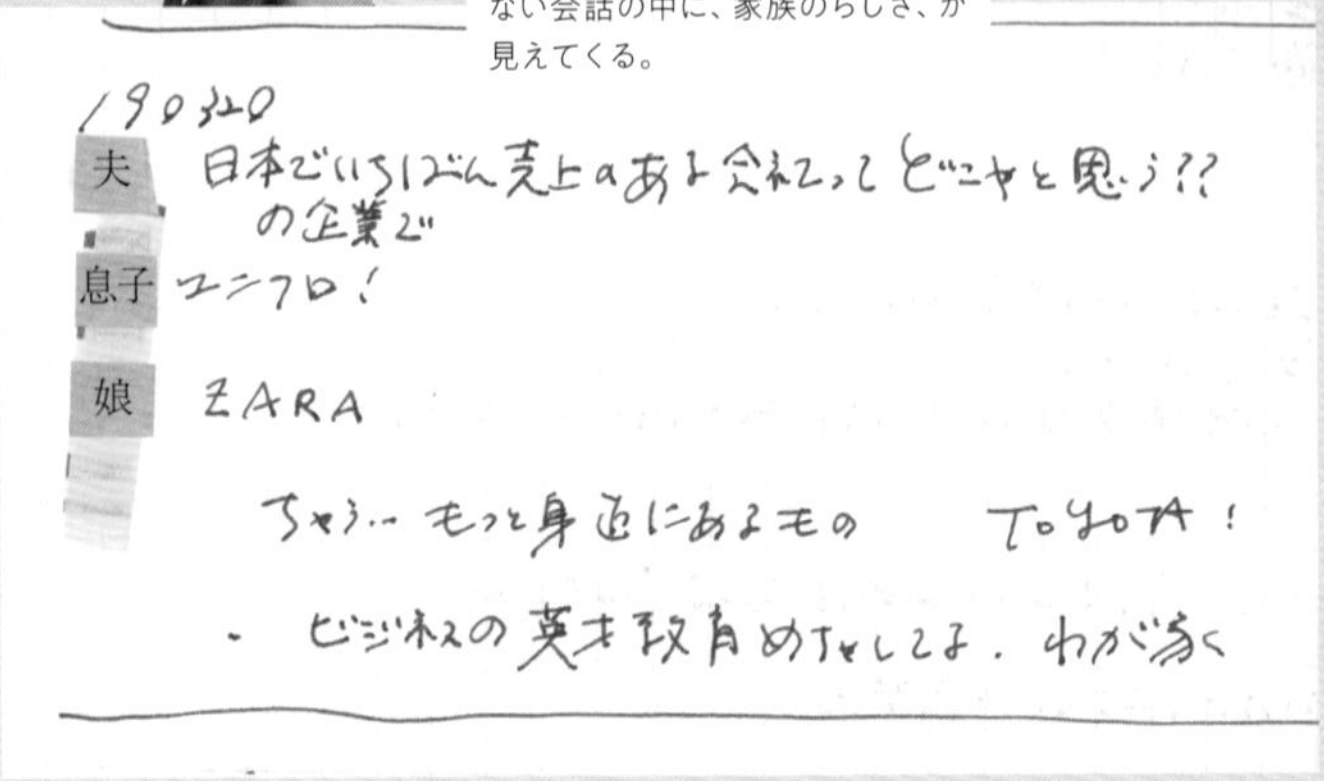

190320
夫 日本でいちばん売上のある会社ってどこやと思う??
の企業で
息子 ユニクロ!
娘 ZARA
ちゃう… もっと身近にあるもの TOYOTA!
・ビジネスの英才教育めちゃしてる. わが家

お酒の飲みかた

スタッフのご主人がお酒を飲むときに気をつけていることを聞き、すかさずメモ。わたしもマネして、合間に白湯か水を飲むようになりました～（成長！ 笑）。

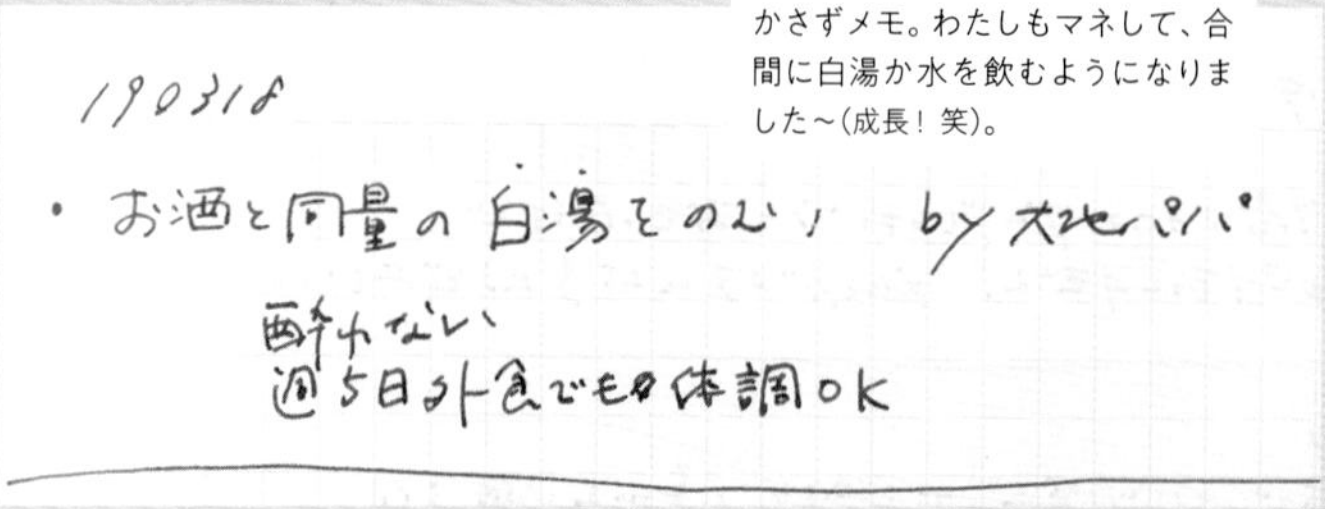
190318

・お酒と同量の白湯をのむ！ by 大地パパ

酔わない

週5日外食でも◎体調OK

仮住まい中の気持ちの記録

自宅リノベ時に、仮住まい生活中に感じたことを記録。暮らしに変化のあるときは、より気持ちが敏感になるので、落ち着くためにも書いたりします。

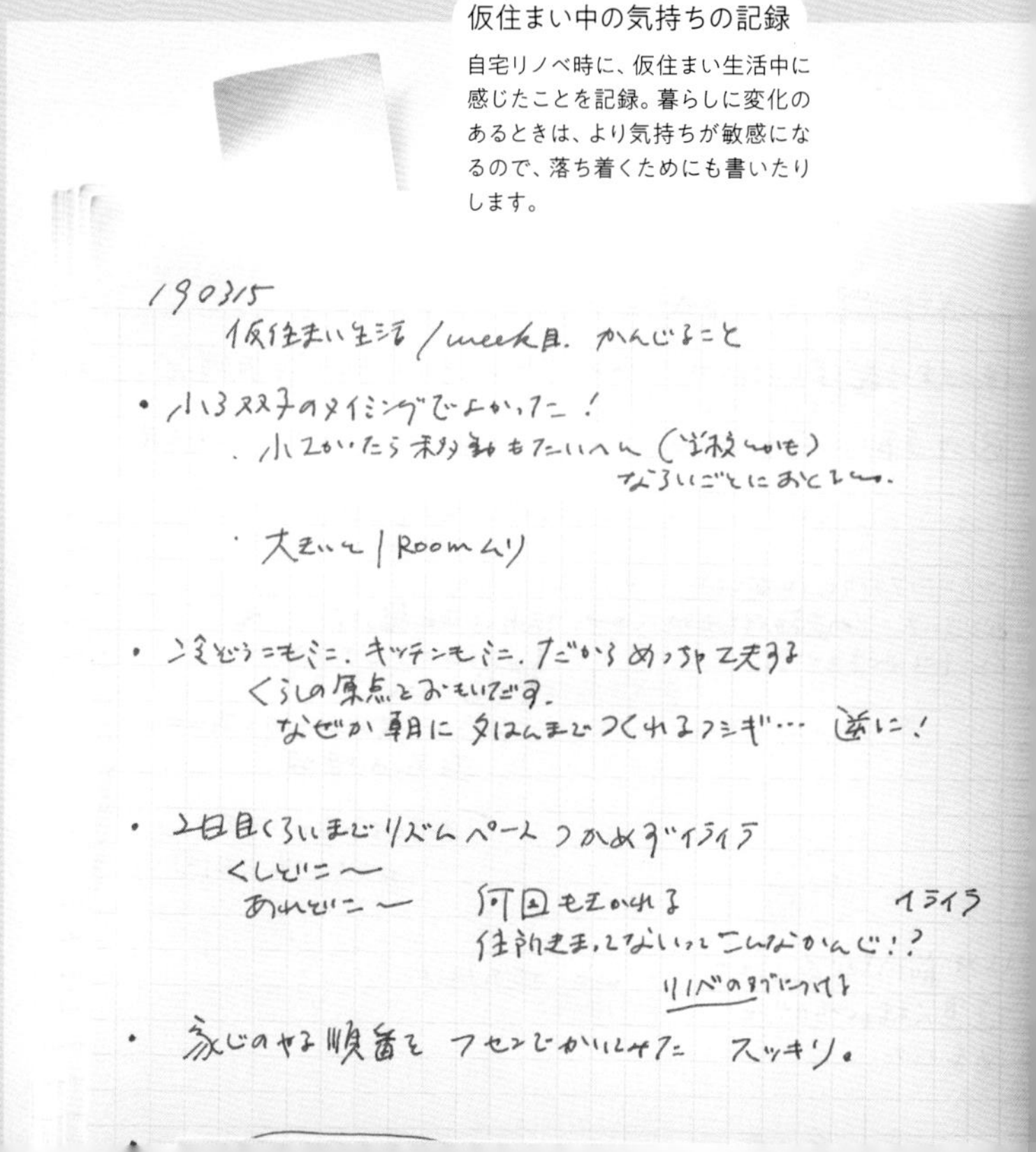
190315

仮住まい生活1week目. かんじること

・小3双子のタイミングでよかった！

. 小2だったら移動もたいへん（学校かも）

ならいごとにおくるー。

・大きいと1Roomムリ

・冷ぞうこもミニ. キッチンもミニ. だからめっちゃ工夫する

くらしの原点とおもいます.

なぜか朝に夕はんまでつくれるフシギ… 逆に！

・2日目くらいまでリズムペースつかめずイライラ

くしどこ～

あれどこ～ 何回もきかれる イライラ

住所きまってないってこんなかんじ！？

リノベのタグにつける

・家じのやる順番をフセンでかいてみた スッキリ。

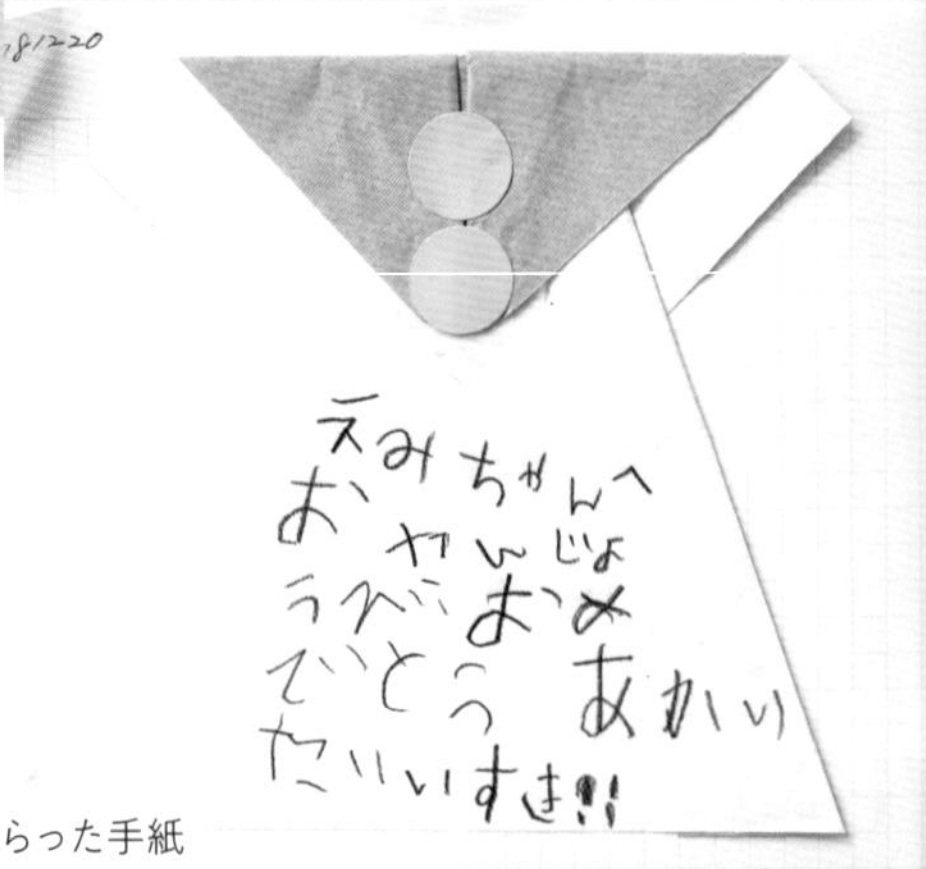

もらった手紙

親友やスタッフの子どもからもらったうれしい手紙をマイノートに貼り付け。見るたびに、顔がフッと頭に浮かびます。

気になった情報

アンテナに引っかかった情報は1行でも残します。改めて気になるときは、ここから「エジソン ノート」と検索して情報を追加したりも。

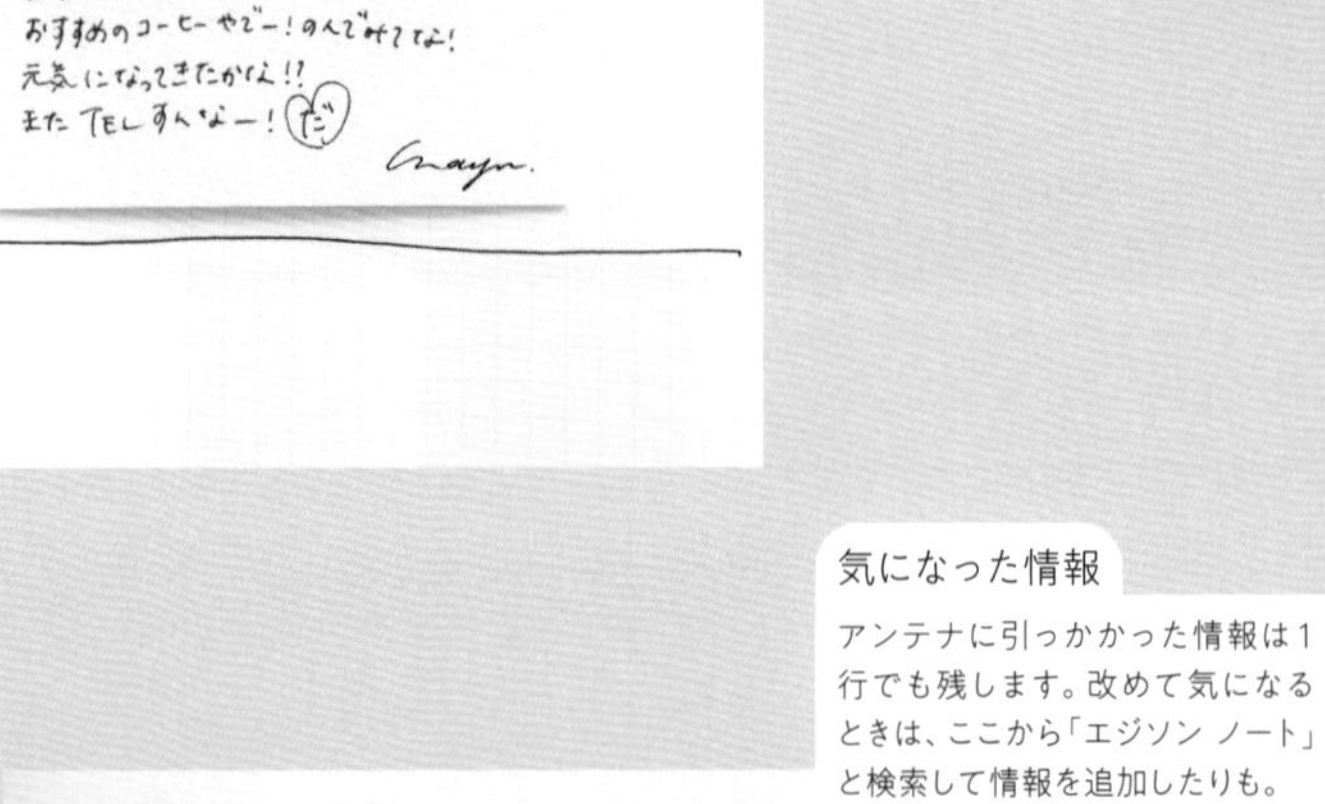

るとあごや首が疲れるので、最後に
ってクールダウンして

5
時計の2時の方向に舌先がきたら、そこをぐっと押し①に戻る。これを左右3周ずつ行う

4
さらに下唇側も舌先でゆっくり動かしな
なぞる。目も同じ方向に動かして

170528
Lee
6月

200kcal

ささ身と緑黄色野菜の
ごまみそドレッシングサラダ

ごまみそのコクのあるドレッシングで淡白なささ身もボリュームアップ。

［材料・1人分］
ささ身……60g
（ささ身2本を耐熱皿に入れ、酒大さじ1、水大さじ2、塩小さじ¼をまぶし、ラップをかけて電子レンジ（600W）で1分30秒加熱する。ラップを開けてささ身を返し、再びラップをかけてしばらくおき、そのまま余熱で火を入れる）
ブロッコリー（塩ゆで）……80g
にんじん（細切り）……40g
みょうが（薄切り）……¼個
青じそ（薄切り）……1枚分
白すりごま……1g
ごまみそドレッシング……大さじ1½

レシピ

雑誌で見て気になったレシピ。レシピの写真はすべてを貼らなくても、こんなふうに一部が見えるようにして貼ることが多いです。

170209
OURHOME くらしの webレッスン

OURHOME
くらしのレッスン

1度来た人は復習
お子さま小さくても
WMで平日こられなくても！

→ 20207月を
きっかけに
スタートしてる！

仕事

レッスンやメルマガについて、パッと思いついたアイデアを書き留めています。4年前やりたいと書いていたオンラインレッスンは、実際に昨年スタートしました！

170209
メルマガを

って メルマガがコラムかいています。を
インスタやブログで upするよ.

column
みんなの
マイノートに
もっと深める
アドバイス！
5

Emiさんみてね
わたしのマイノート

Uさん
会社員

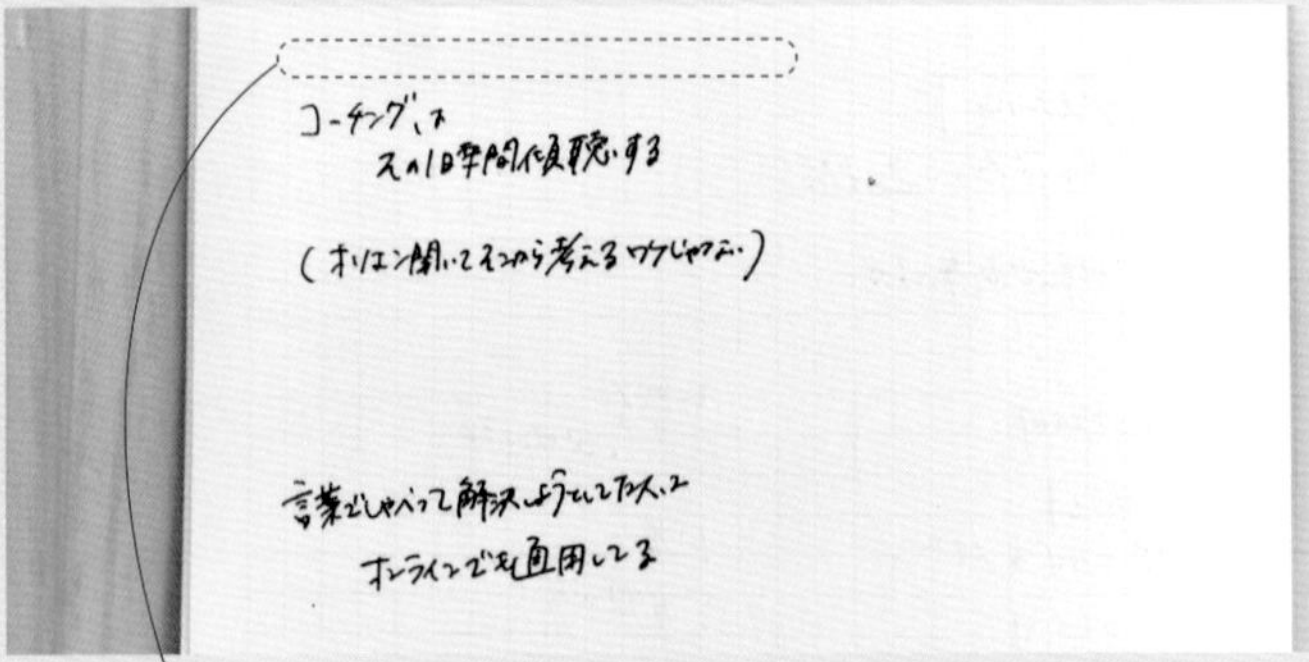

興味や関心のあることのメモはとてもいいと思います。
ただ、数年後に見返したら、「誰が話していたことだっけ？
読んだ本のメモなのかな？ それとも自分の考え……？」と、
わからなくなることも。

・「日付」「誰が話していたことか」の基本情報を
タイトルとして書いておく
と、そのときは内容を深められなくても、
もう一度興味が出てきたときに
あとから調べたり、聞いたりすることができますよ！

アドバイスを受けたUさんの感想

たしかに、友人に聞いた話を書いたものなんですが、数年後に振り返ったら思い出せないな……と感じました。「基本情報を書く」は、記憶を呼び出すカギなんですね！ 覚えているうちに書き足しました〜。

6

マイノートで仕事が変わる

仕事とプライベートで ノートを分けない

マイノートで一番よくいただくご相談が、「仕事とプライベートのノートを別々にするか迷う」というもの。仕事のことはノートを分けたい、という方がとても多いのですが、打ち合わせや会議のメモ以外は、仕事のこと（やりたいことや悩みや気づき）もぜひ一緒にマイノートに書いたほうがいいと思っています。

「仕事と暮らしがうまく混ざり合うと、どちらにもいい影響があるはず」。そんな理想を掲げているわたしなのですが、それは職種や立場にかかわらず言えることで、たとえば看護師の方が仕事前にパラッとマイノートを見て育児のエピソードを思い出したら、患者さんとの会話のきっかけになるかもしれません。保険の営業の方がマイノートに書いたテレビの話が、営業トークにつながることもあるかもしれません。仕事は仕事、家庭は家庭と完全に分かれて関係がないということはあり得ないと思うんです。「その人らしさ」が出るのがマイノートで、仕事はパーソナリティーが出るからこそうまくいくこともたくさんありますよね。

家庭でも、たとえば仕事の取引先から得た話を家族に話せたり、暮らしの中で起こった問題に対して、「仕事のこの仕組みで解決できる」というふうにもつながったりも。

ノートを分けるとせっかくの心の貯金が片方にしか使われません。一緒にしておけば、書こうと思ったときに「これはどっちに書く？」と迷うこともなくなり、いいことがたくさん！

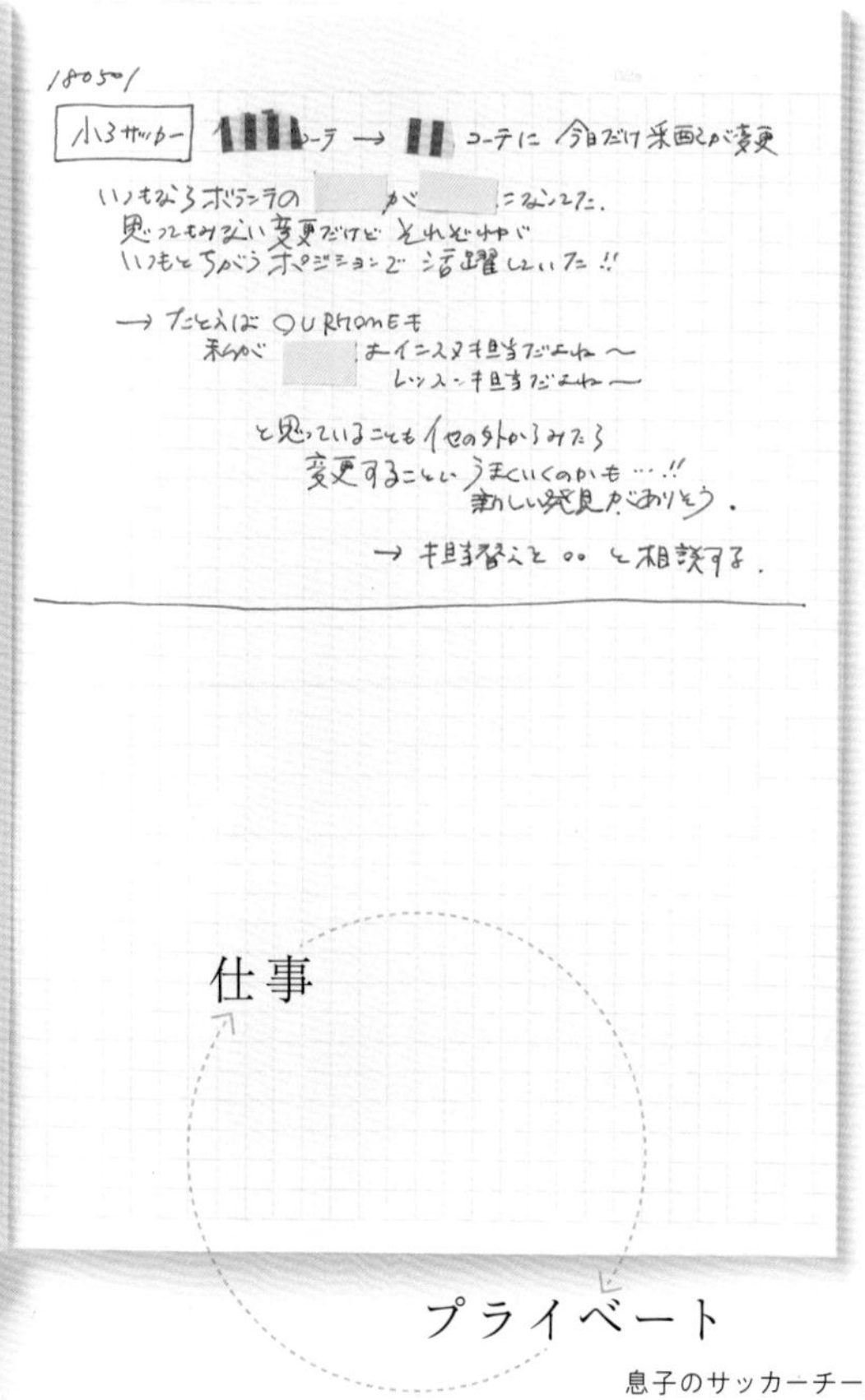

息子のサッカーチームの采配（ポジション変更）を見て仕事で部下の担当変更を思いつたりなど。

書いたことが いつのまにか仕事になる

会社員だった20代の頃から経営者側になった今まで、振り返るとほとんどの仕事はマイノートに書いたことがいつのまにか実現してきたように思います。

たとえば、この本のコラムの企画。いろいろな人のマイノートを見せていただいてアドバイスをしていますが、最近、4年前のマイノートを見返したら「マイノートの赤ペン先生をやりたい」とまさに企画どおりのことを書いていました。

また、連載している雑誌『LEE』で対談を企画していただいた際、編集長に「話してみたい人はいる？」と聞かれて、すぐに「モデルの浜島《はまじま》直子さんです！」と答えた自分がいました。普段からマイノートに「会いたい人」と「その方と話してみたいこと」をメモしているので、パッと反射的に答えることができました。まさに貯金が役立った瞬間！（その後、実際に対談を）。

何かを思いついたときに少しでいいので膨らませて考えておくと、あとから仕事につながりやすいように思います。会いたい人を一から考えるより、「〇〇さんです」とすぐ言えるとスピーディーに進められますよね。

誰でも頭の中では毎日たくさんのことを考えています。でも、頭に浮かぶことは現れては消えるもの。それをつどノートにキーワードを拾って書けば、アンテナを張る意識になります。

そこから行動につながって、ある日、実現のチャンスの波がやってくる。その波に乗れるかどうかは、「心の貯金次第」だと思うのです。

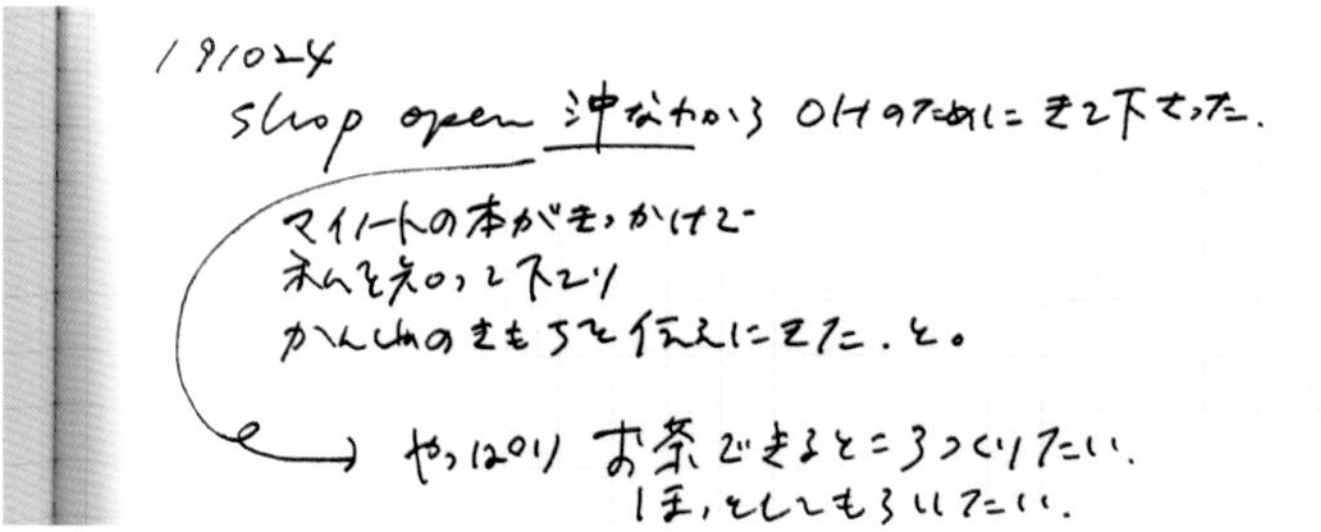

遠方からのお客様がゆっくりできる場所をつくりたい……という3年前の願い。2021年OURHOMEに新しい場所をつくり、叶えることができました！

うまくいった仕事には
そのまま使える型がある

うまくいった仕事には、必ず成功法則が隠れている、と思っています。同じ仕組みを使えば次の仕事もうまくいきやすく、今後の自分の仕事人生で大いに活かせるんです。

振り返りのポイントは、「抽象化する」こと。同じ仕事、同じ条件でなくても成功法則を活かせるように、なぜうまくいったのか、本質的な部分を考えていきます。

たとえば、「企画の半年前から考え始めていたのがよかった」「このプロジェクトに、こういうタイプの人がいたからうまくいった」。これなら、次も同じ型を参考にできますよね。

一般的に、うまくいかなかったことは反省会などで振り返りますが、うまくいったことは「うまくいってよかった！」で済んでしまい、振り返ることが少ないように思います。でも、成功したことの中にこそ、そのまま使える型が隠れています。

うまくいった仕事のポイントを抽象化するためには、「メンバー構成」「スケジュール」「行動」「使用したツール」というように分解して考えるとやりやすいですよ。

わたしは原稿をスラスラ書ける日と書けない日の波がありました。そこで、納得のいく原稿がさっと書けた日に、なぜうまくいったのかを深掘りしてみました。ひとりになって、音楽を消し、電気を少し暗めにして、章ごとに進めていく。いつもと違う環境がよかったとわかり、同じように書き進めてこの本の原稿が出来上がりました。

　成功法則の型のストックが自分の中で増えていくと、新しい仕事を始めるときに「この仕事はこのパターンでいこうかな」と選択肢がもてるようになっていきます。

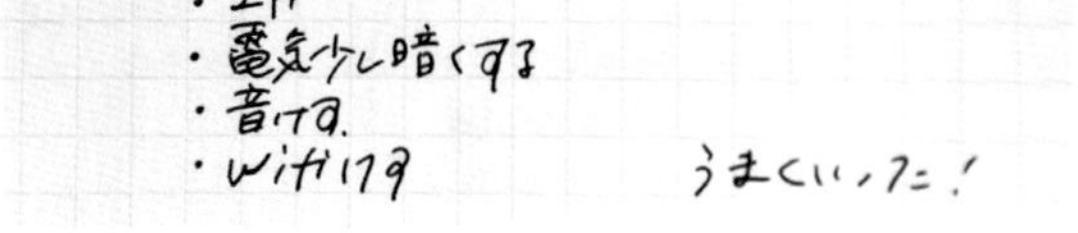

書籍の原稿を集中して書けた日の環境づくりをメモ。

トラブルが起きたら今後に活かせるチャンス

仕事をしている限り、トラブルはつきもの。20代の若かった頃は小さなことにもうろたえたものですが、今では「どんなトラブルでもなんとかなるっ！」と思えるように。

そうなれたのは、もちろんさまざまな経験で勉強させてもらったこともありますが、問題が起きたときは、そのつどマイノートを開き、「自分の中で整理して理解、そしてできる行動をしていく」という習慣がついたからだと思っています。

2020年、コロナが拡大してすぐ、学校が一斉休校になると決まりました。働くママ18人を抱える身としては「とんでもないことが起きた……」と思ったものです。でもまずノートを半分に分け、左側に「今起こっている事実」を書き出します。

「○日から休校／保育園児ママスタッフ○人、小中学生ママスタッフ○人／オンラインショップのお申し込み件数／出荷の日程／会社のキャパシティ」などなど。このとき自分の感情は入れず、事実をひたすらに淡々と書き出し。

次に、右側に、「この部分は変えられないけれど、ここの部分は気持ちや行動次第で変えられる」というふうに、事実をもとに整理したことを書いていきます。すると、起きていることを客観的に見ることができ、冷静になれて、子連れ出勤の仕組みや在宅ワークの環境づくりなど「今やることはこれだな」とわかってきます。

そうやって、トラブルを乗り越えられたら、その型を次に活かすこともできます。

こうして17年間書き続けてきて気づいたのが、いつのまにか何か目の前にトラブルが起きてもネガティブな感情にならなくなり、いつでも「大丈夫、なんとかなる」と思えるようになったこと。小さい頃の私は「どうしよう」が口癖だったこともあったくらい心配性でしたが、今では信じられないくらい肝《きも》が据わってきました。それもこれも、ずっとそばで支えてくれるマイノートのおかげですね。

「5W1H」を使うと やりたいことが具体的に

「仕事でいつかこんなことがしたいな〜、でも今はそんなの無理だしな」と思い続けてはや数年……そんな方は、ぜひ今、マイノートに具体的に書き出してみてください。

そのときにイメージするコツが「5W1H」（いつ・どこで・誰が・何を・なぜ・どのように）を使って書くこと。

ちょうど今から10年前のわたしのマイノートを振り返ってみます。自分がいつかレッスンをするとしたら……。「（いつ）1年以内に、（どこで）会議室みたいなところじゃなくてカフェで、（誰が）わたしが、（何を）写真整理のコツを、（なぜ）忙しいママにラクに続けてもらいたいので、（どのように）10人くらいの前で、レッスンしてみたい」。

そんなふうにマイノートを書いていました。でも当時は会社員。双子育児と仕事の両立で疲れ果てていて、妄想のような走り書きでした。でも……実際にそれから独立し、書いたことを忘れかけていた一年後に開催していた、という嘘のような本当の話。

いつそんな波がやってくるかもわからないし、イメージするのは自由。お金もかかりません。10年後の一週間の妄想スケジュールを具体的にイメージしてみる、なども楽しそうです。わくわくする気持ちを止めないで、マイノートに書き込んでみてください。

when	いつ
where	どこで
who	誰が
what	何を
why	なぜ
how	どのように

マイノートに書くのは「原石」のようなもの

マイノートは仕事中もずっと手元に置いています。「いいな！」と思った取引先の方の仕草や、気になった情報のキーワード、うまくいったなと思う仕事の進め方、落ち込んだ仕事から得た次に活かしたいこと、などを書いたりします。すぐに役立つかどうかは考えず、とにかく「心が動いたこと」をメモ。では、商談メモや打ち合わせの記録なども同じところに書くのかというと、実はそれは別で、Ａ４の白紙に書いています（p130参照）。

マイノートに書くのは、【ゴロゴロとした粗削りの原石のようなもの】。一方、その原石を転がして磨いていき【プロジェクトに広げていく内容】はマイノートではなく、Ａ４の紙に書く、という線引きをしています。「こんな商品をつくりたいな〜」とぼんやり思ったメモはマイノートですが、実際に具体的な商品化に広げていくときはＡ４用紙、といったイメージです。

今まで当たり前のようにそう書き分けてきたのですが、ふと編集者さんに「どうして分ける必要があるのですか？」と聞かれま

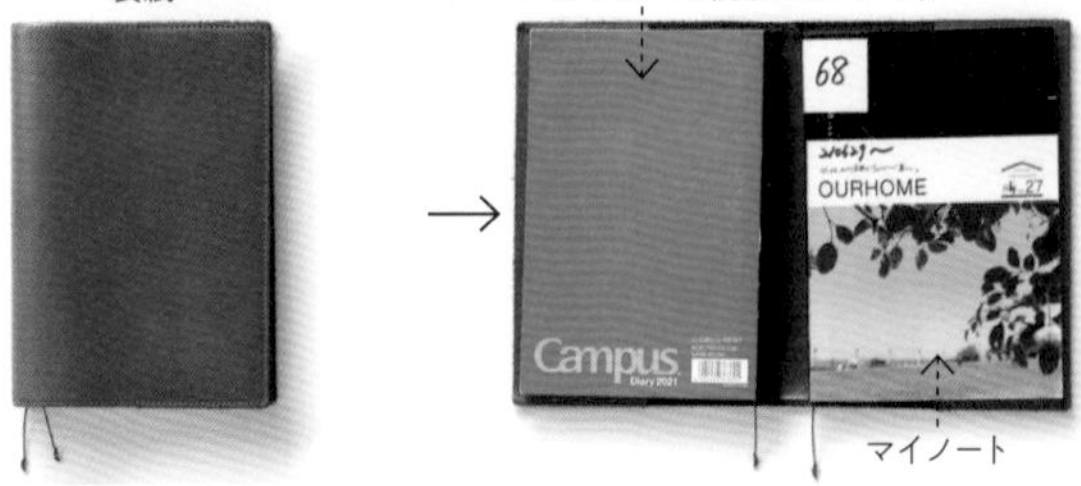

手帳カバーにマイノートとスケジュール帳をセットして常に携帯し、いつでもメモできるように。

した。そういえば……と深く考えてみることに。たとえば雑誌でいうと、同じ話題が何ページもずーっと続く雑誌ってわくわくしませんよね？ ファッション、美容、仕事術、パッパッパと話題が切り替わるほうが、かいつまんだ情報がたくさんで読んでいて楽しい、そんなことはありませんか？ マイノートも同じようなイメージです。

同じ内容がずーっと続いたりメモ程度のものがたくさん並ぶより、粗削りでもぐっと心に響いた内容がいろんなジャンルでたくさん並んでいる。そのほうが、「見返したときに楽しい、また見返したくなる！」。マイノートは、見返して深めて、活用してこそ、自分のものになっていく気がしています。そのためにも、読み返したくなるノートであることが重要なのだと考えています。

打ち合わせや会議のメモをとるのは「Ａ４の白い紙」

企業との商談や、社内のスタッフと進める仕事など、打ち合わせ中のメモはマイノートではなく「Ａ４の白い紙」にどんどん書いていきます。穴を開けてファイリングしたりはせず、プロジェクトごとに管理しているクリアファイルに挟むだけ。そしてプロジェクトがひと通り終わるタイミングで整理をします。不要なものは処分。大事な仕事のメモは念のためスキャンするのですが、そのときにＡ４用紙はスキャンがしやすいのです。その中にマイノートにも残しておきたいキーワードを見つけたら、用紙を切り貼りして残すこともあります。

A4の紙を挟んだバインダーごと横向きにすると、ちょうどA5のノートを開いたのと同じサイズに。

「マイノート」と「やることリスト」は違う

「心の動きを残したいのに、つい『やること』ばかり書いてしまう」というご相談をいただきます。わたし自身は仕事やプライベートの「やること」は、週単位でスケジュール帳に箇条書きし、終わったら線を引いて消します。どちらに書くか迷わないのは、はっきり線引きがあるから。

マイノートに書くのは、まだ形になっていないやりたいことや、考えたいこと＝「WANT」。一方、やることリストに書くのは、生活と仕事を回していくために必要なタスク＝「MUST」。したいことと、しなければならないこと、の大きな違いがあります。

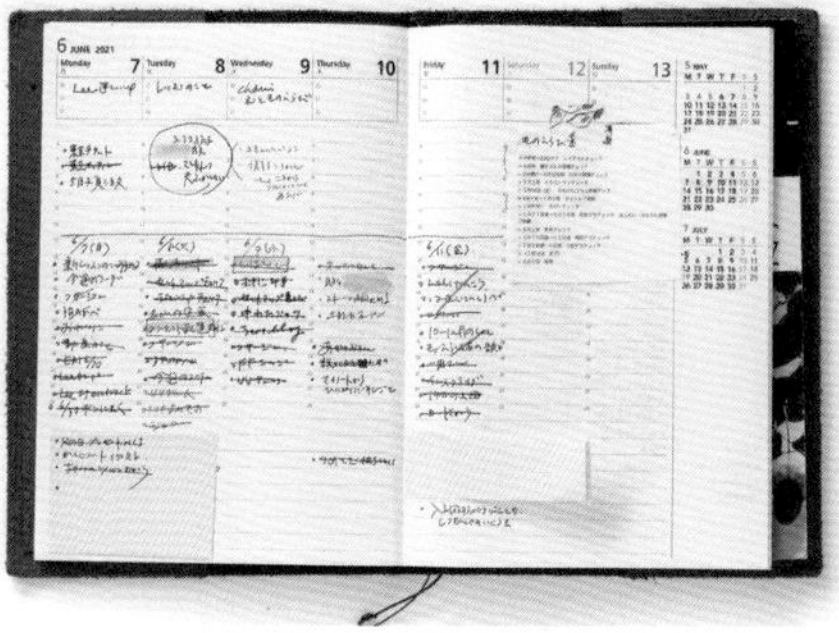

スケジュール帳のウィークリーページに週単位で「やること」を書き出して完了したら線を引きます。

街中で仕事に役立つ気づきが得られる

街を歩いていて気になったことは、マイノートで深掘りします。たとえば、目立つ看板を見つけたら「どうして惹かれたのかな？ 色？ 大きさ？」と考えてメモ。今すぐ仕事に役立つ情報じゃなくても、時間を置いてまったく違う仕事のアイデアにつながったり、話のきっかけになることがよくあります。

先日、信号待ちでふと目に入った「ちょいマック」の広告。マクドナルドって何十年も営業を続けていますが、レギュラー商品の種類は限られていますよね。でも、同じSサイズのポテト、100円ドリンクなどをまとめて「ちょいマック」とネーミング。ずーっと見続けてきたいつものそれらが、ネーミングひとつでガラッと見え方が変わります。これを自分たちの仕事に置き換えたら、同じ商品でもネーミングやまとめかた次第で、もっと違う角度から良さを伝えられるんじゃないかな……と考えるきっかけになりました。街を歩いて気になることは深掘りしてメモ！です。

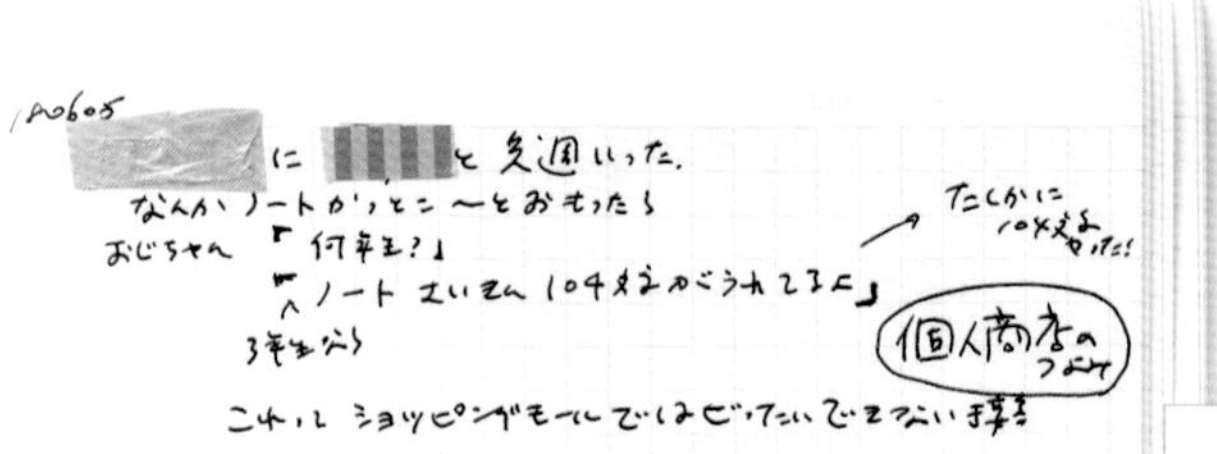

街でアンテナを張る

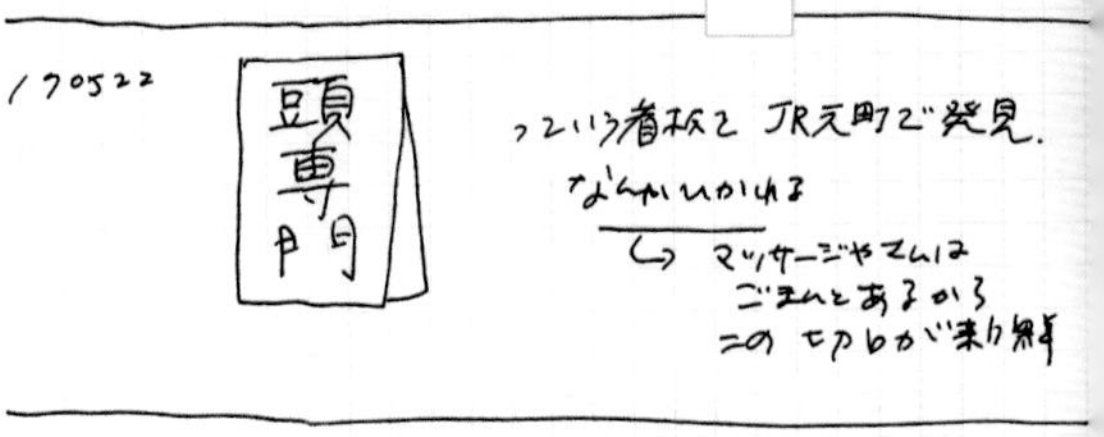

気づきをマイノートに書く

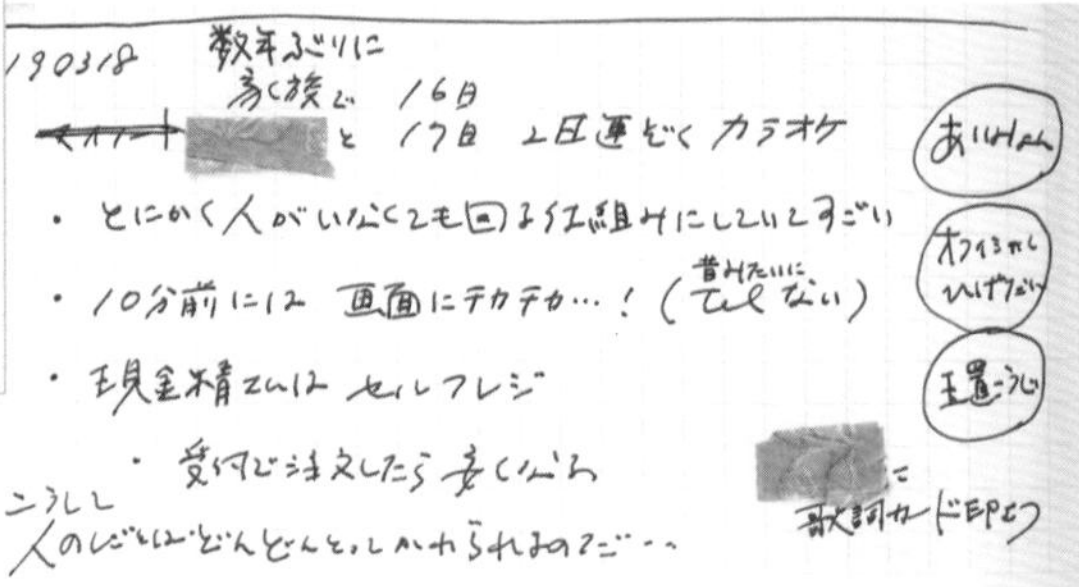

旅先は仕事の考えを深めるチャンス

長期旅行のときはもちろん、週末に近場の温泉に行くときでも、荷物を減らしてでもマイノートを相棒にもっていきます。

旅先は場所が変わるのでいい刺激があります。いつもと違う景色を見ながら思うことを書いたり、ラウンジに置いてある雑誌をめくって気になったことをメモしたり。普段は目の前の業務や困りごとについ没頭してしまい、新しくインプットをしたり広い視野で仕事のことを考える時間がとれないので、時間のある旅行中は考えを深めるチャンスです。

「仕事で次にどんなことをしようかな」
「これからの1年、会社をどうやって回していこうかな？」
「まったく現実的じゃないけど、こんなことがしてみたい」
「スタッフの配置転換をどうしたらいいかな」

ということをホテルのラウンジやプールサイドで考えたりします。もちろん旅行は旅行で楽しむので、ずっと仕事のことを考えるわけではないのですが。

旅行中にマイノートを広げて仕事のことをいつもより深く考えてみる、というのは、会社員時代からずっと続けているわたしたち夫婦の習慣のようなもの。会社を辞めて独立してからは、開業した月である毎年7月に長期旅行をして、一年ごとの振り返りや目標を立てるきっかけにしてきました。

最近はなかなか長期旅行が難しいですが、近場の旅行でもリフレッシュ効果は十分。旅の刺激でインプットをしつつ、頭の中を全部出してすっきりします。

テレビを観て、自分の仕事に置き換える

もうこれはわたしの習慣というかクセのようなものなのですが、テレビを観て、気になった会社や番組のつくりかた、出演者の話しかた、すべてを「自分や自分の会社に置き換えてみたらどうだろう？」と考えていくんです。もちろんぼーっと見るときもあるのですが、時々テレビ番組の中で、深く感動することや、ものすごく興味のある会社、「ほ〜〜〜っ」と感心するＣＭなんかがありませんか？ そういった「心が動いたこと」を、自分や自分の会社に置き換えて考えてみると、またわくわくと心が動きます。せっかくならと、コストや実際の動きは一旦無視して考えていくとすごく楽しいんです。実際、コロナ禍ではテレビ番組の放送の仕方、出演者のリモート化など、どんどん進化していきましたよね。ちなみにわたしは、オンラインレッスンでは、情報番組に出ているバラエティタレントさんに感化され、四角い枠の中に見えるように拍手をしたりうなずいたりと参考にしているんですよ。

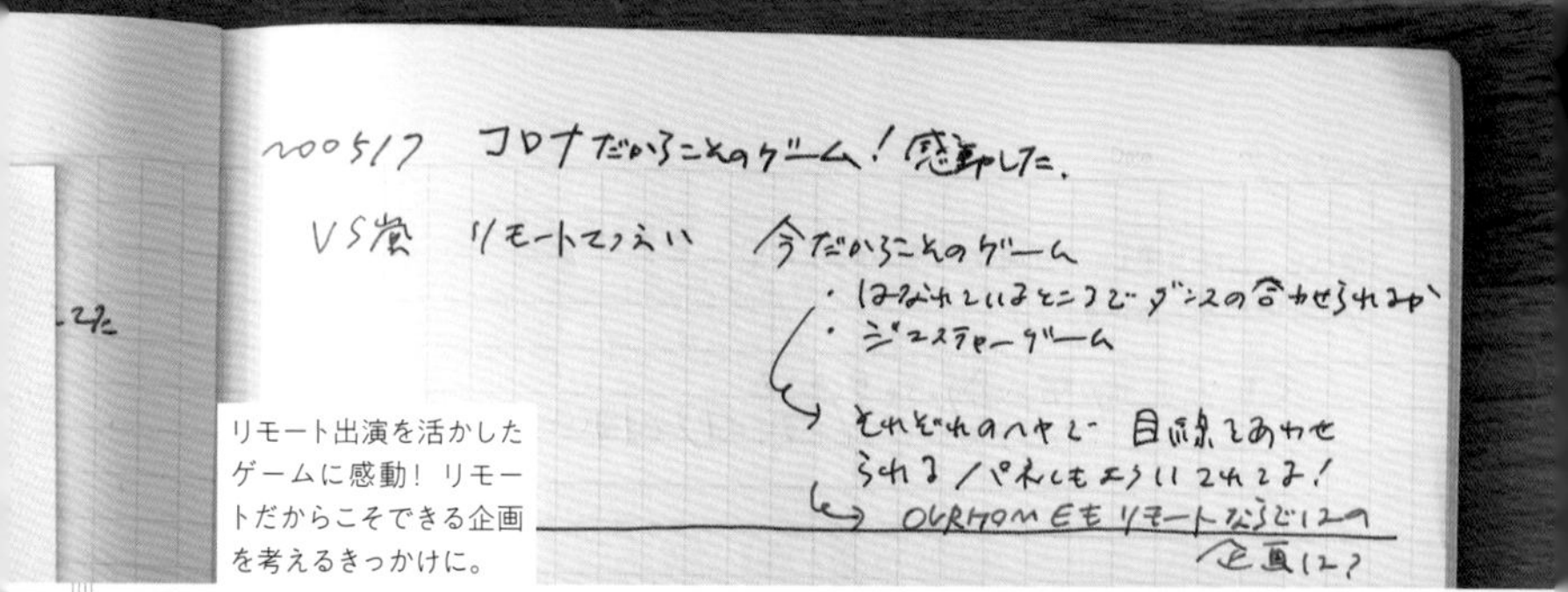

リモート出演を活かしたゲームに感動！ リモートだからこそできる企画を考えるきっかけに。

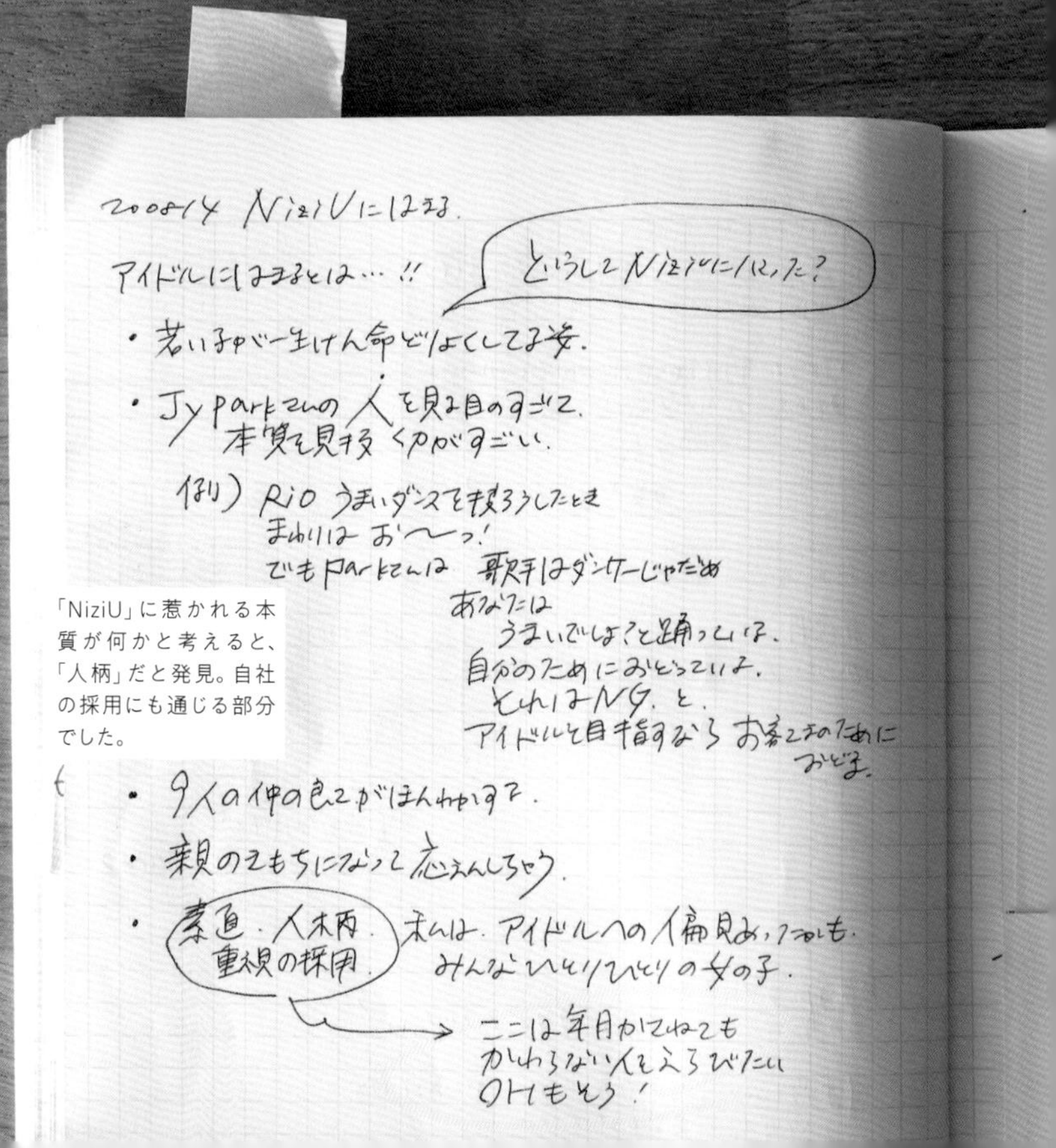

「NiziU」に惹かれる本質が何かと考えると、「人柄」だと発見。自社の採用にも通じる部分でした。

「なんかいい感じ」を掘り下げる

ある日、仕事前にちょっと病院へ。その病院は先生の腕も評判で人気なのですが、いつ行っても「なんかいい感じ」の空気が漂っています。ちょうど待合室で少し時間があったので、マイノートを開いて「わたしはどうしてこの病院を『なんかいい感じ』と思うのだろう?」と考えてみることにしました。

いいなと思うポイントをまとめると、「スタッフさん同士が和気あいあいとして、笑いが適度にあって、みんな仕事に対して前向き!」わたしが好きな雰囲気ってこんなことなんだよな〜、こんな組織をつくりたいな、と改めて感じました。

きっとみなさんも、街を歩いていて、

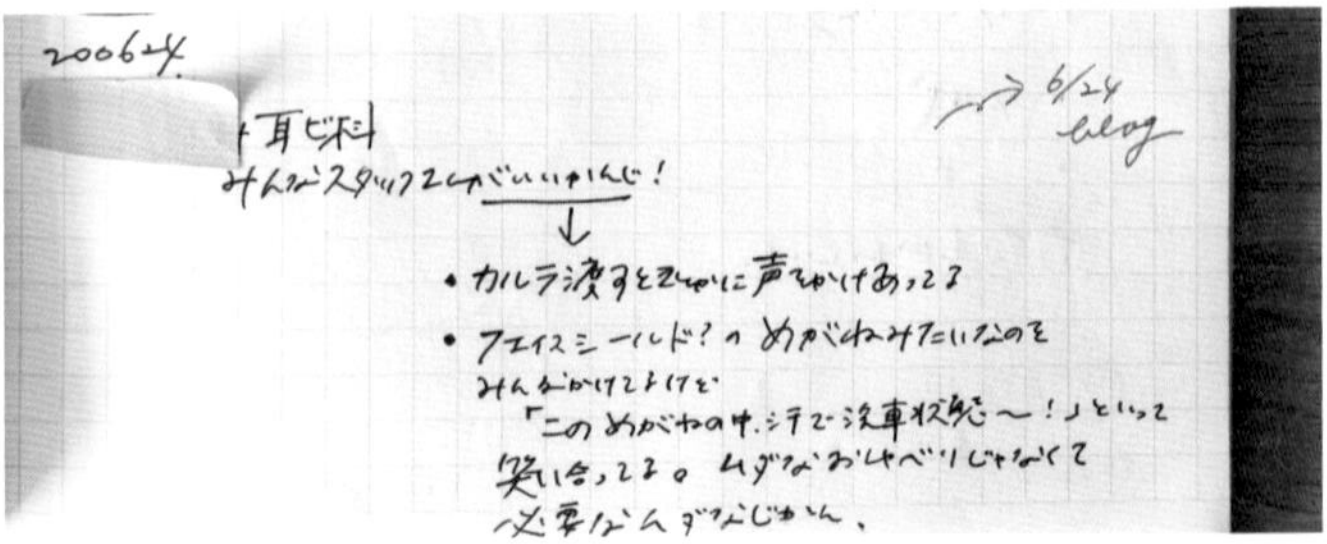

どこかのお店で接客を受けたとき、商品を手にしたとき、「なんかいいな」「なんか素敵だな」と思う瞬間が日々、ありますよね。そんなときに、その小さな「なんかいい感じ」を見逃さず、「なんか」を分析。すると日常の中でもっと「いいな」を見つけやすくなるし、人とのコミュニケーションで大事にすべきところや、仕事で大事にしたいことも、自分の中に貯金されていきます。もし仕事や人間関係で何かがズレそうになっても、思い出して軌道修正するきっかけになります。

部下やスタッフの成長に気がつける

長年仕事を続けていくと人や組織をまとめていく立場になる方も多いのではないでしょうか。まさに今のわたしはスタッフ18人と一緒に働く経営者としての立場。仕事中はマイノートを開きながら、スタッフの「いいな」と思った姿をメモしたり、「ここが苦手なのかな」とメモしたりもします。スタッフそれぞれ順調なときもあれば、仕事の仕方に悩みもがいている姿を見かけることも。でもそうして成長する姿を見ることができるのは本当に幸せです。

ときに、もっとこうなってくれたらな～、なんて求めがちになりそうなときは、マイノートの入社当初の悩む姿や内容と比べ、「数年経ち、ぐっと成長しているんだ！」と気づくことができます。

誰かと比べるのではなく、そのスタッフ自身の成長の幅を本人に伝えることができるのもマイノートに記録していたおかげ。まさにこれは子育てとも通じるところがありますね。

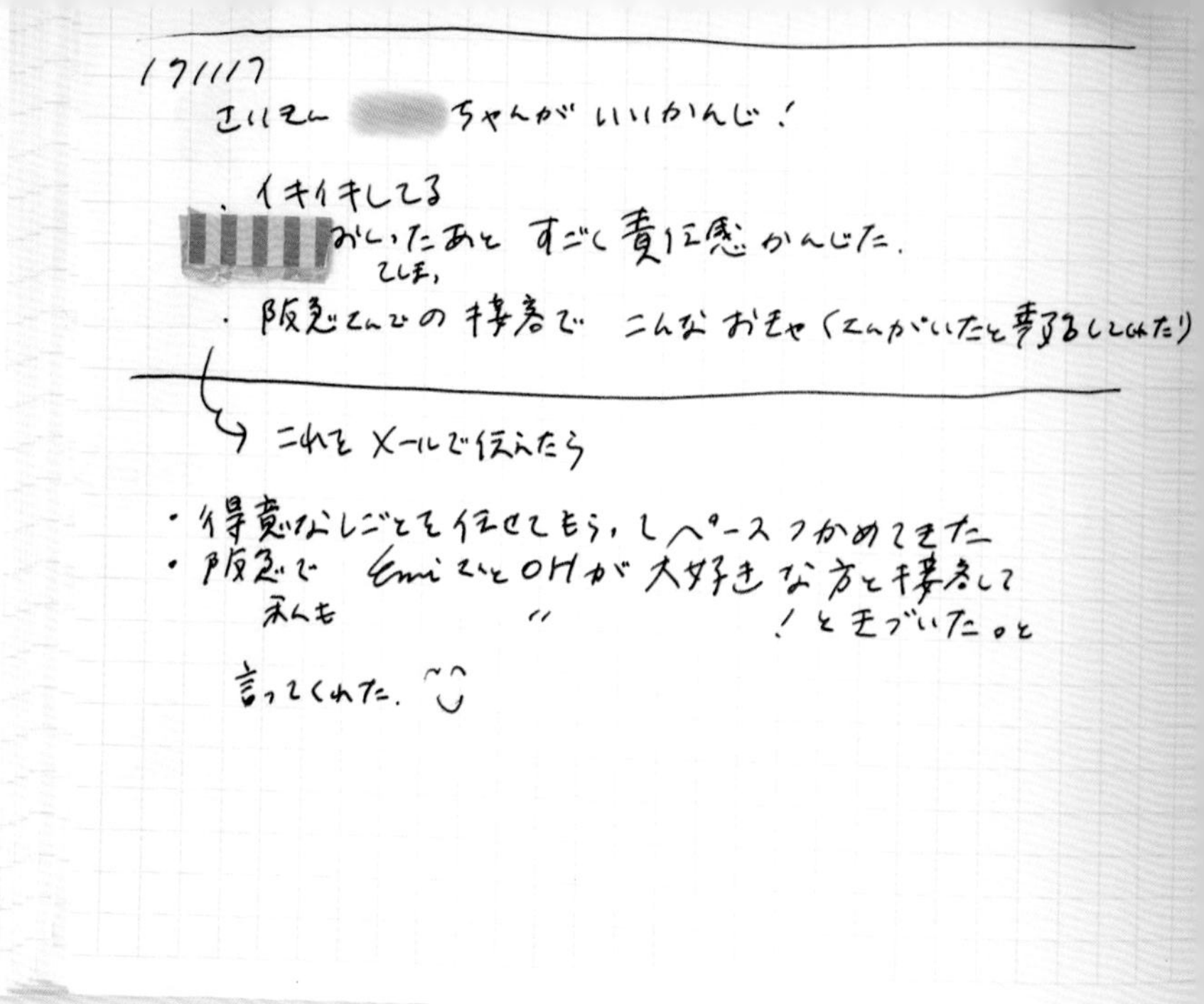
171117
さいとうさん [redacted] ちゃんが いいかんじ！

・イキイキしてる
・[redacted] おしいたあと すごく責任感かんじた。
てしま、
・阪急てんぽの接客で こんなおきゃくさんがいたと共有してくれたり

→ これをメールで伝えたら

・得意なしごとを任せてもらい、ペースつかめてきた
・阪急で Emiさんと OHが大好きな方と接客して
私も 〃 ！と気づいた。と
言ってくれた。

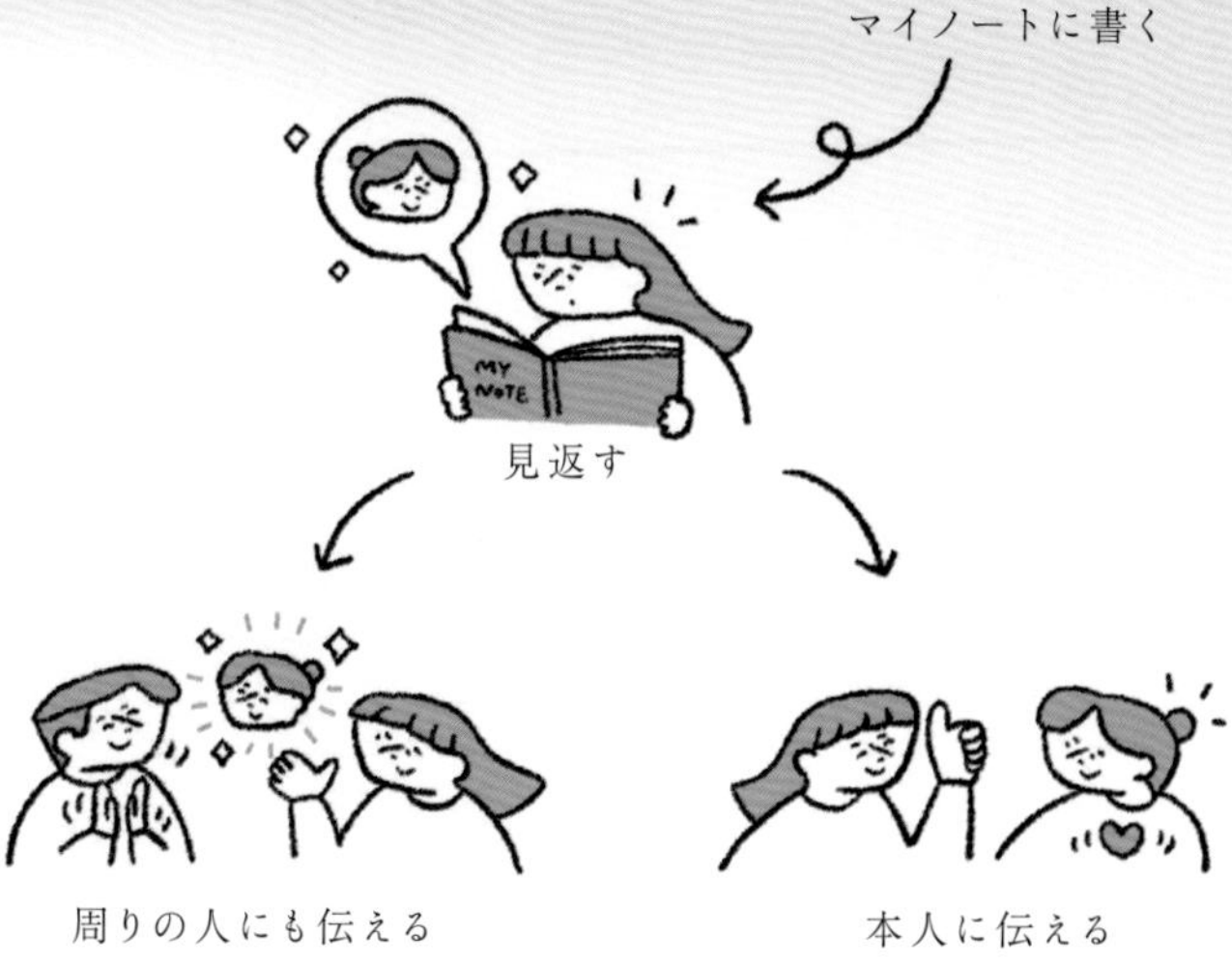

マイノートの検索で仕事のアイデアが見つかる

何も見ずにアイデアがパッと出てくるといいのですが、なかなかアイデアが出てこないときも、もちろんあります。SNSで検索すると流行っているものが見えてくるだけで、オリジナリティが出せません。わたしは自分のマイノートの中を検索します。頭で思い出せることって残念ながら、本当に少ししかありません。でもマイノートを開くと忘れていた「心が動いたこと」がたくさん貯金されています。まさに心の貯金通帳。

たとえばわたしが仕事術の本を企画したときは、「仕事に役立つこと」という目線で、過去のマイノートを見返していきます。一見関係のない子育ての話も、スタッフを育てる仕事術に活かせるな、と気づいたり、子どもの学級通信の記事から感じたことも仕事術につながるな、と活かせたり。今までの貯金から「仕事術」というひとつの切り口で貯金を引き出していく作業です。

企画やものづくりに限らず、たとえば職場で新人教育を任されたとき、マイノートに貼っていた育児に関する記事の切り抜きからヒントを得られたり、誰かから聞いた話のメモを活かしたり。できることはたくさんあります。

ちなみに、70冊もマイノートを書いてきたわたしが、どのノートを選んで開くかというと、具体的なアイデアを探すときは直近のマイノート、落ち込んでいるときは昔のマイノート、と使い分けています。情報が新しいのは最近のマイノートですが、昔のマイノートは今の自分から見ると小さなことで悩んでいたりして、成長を感じられて励まされることが多いんです。

「好き」を深掘りして就職&転職活動につなげる

以前、母校の大学でマイノートを就職活動に活かすワークショップを行いました。大学生に話を聞くと、「3年間何もできてない」「就活で周りの人がまぶしく見える」と不安を抱えている様子。今はわたしたちの学生時代と違い、SNSで周りの様子が目に入りやすく、自信を持ちにくい環境のようです。わたしから見るとそれぞれにすばらしい引き出しを持っていて、まだそれに気づいていないだけだと思うんです。自分を知るには、「好きなことから広げて」考えていくんだよ、という話をしました。

「わたしは……お笑い芸人のサンドウィッチマンが好きで、コント動画は全部見ています」と話す女の子がいました。それまでは「自分らしさがわからないんです」と言っていたのに、お笑いの話になると突然目がキラキラ！「それそれ～！それ！」とわたし。放っておいてもどんどんしゃべれてしまう好きなこと。それをマイノートで深掘りしていくのです。「なぜお笑いが好きなのかな？」「たくさんの芸人さんの中で、サンドウィッチマンが好きなのはなぜ？」「笑いを提供できる会社ってあるのかな？」「提供する側？　運営？　ほかにも選択肢がある？」といった具合に、発想を広げていくんですね。

たとえ直接仕事につながらなくても、「わたしは人に笑いを提供する人が好き」「好きなものや人のことはすぐ記憶できる」という自分に気づけるだけでも、大きな一歩です。自分らしさから仕事につなげて考えると、企業の人気ランキングからではなく、自分の軸で仕事を選ぶことができます。

大人になってからの再就職や、転職活動でも同じです。時給○円、通勤30分圏内などの条件だけで探すのではなく、現実的でなかったとしても一度、どんな仕事がしてみたいのか、自分の「好き」から広げて考えてみてください。「料理↓カフェ（は土日祝働かないといけないから難しい……）↓土日祝働かない料理関係↓給食室で働く？↓もしくは食材を扱うお店なんかもいいかも？」そんなふうに考えていくとわくわくしてきませんか？

書いててよかった！

みんなのマイノートepisode 仕事編

以前就いていた仕事はオペレーター。苦手な電話だけどなんとか克服できるはずと思って、マイノートに書いたりして頑張ろうとしていました。しかし、その過程で「電話は嫌い」というコアの部分は克服できないことに気づき、転職を決意。今度は自分が苦にならない事務職の契約社員。面接のときもマイノートで自己分析をし、アピールポイントを絞り、結果合格。新しい仕事でも電話を取ることはあるけれど、「ほかにも自分ができることはあるから大丈夫」と、マイノートに褒められているような気がして、今日まで頑張ってこられています。

（ゆちゃりりさん／マイノート歴3年／4冊目）

以前は「失敗はできるだけ早く忘れたい！」と思っていましたが、マイノートの存在を知り、モヤモヤしたことの深掘りが自分を見つめる大切な作業と知りました。仕事でミスをしてしまったある日。実際に深掘りしながら書いてみると、ミスの原因は、「以前もやったことがあるから大丈夫だろう」という思い込みがあったこと、出勤時間がギリギリで気持ちに余裕がなかったことだと気がつきました。モヤモヤしていたことがクリアになり、さらに書くことで脳に刺激がいくのか、仕事面では本当に同じ失敗をしなくなりました。

（Eさん／マイノート歴4年／9冊目）

小学校教師をしています。マイノートに仕事での気づきや学び、考えをまとめたりしながら、以前より目指す教師像に近づけるようになりました。担任している子どもたちにもひとり1冊マイノートをもたせています。定期的にテーマを提示し自分のことを書かせて自己理解させたり、深く自分の考えをもたせたいときに自分の考えの成長の跡を残させたりするのに使っています。子どもたちの変化として、自分について考える機会が増え、自己肯定感が高まってきたり、クラスのことや友達のことを以前より幅広い視点で見られるようになってきたなと感じています。

（Yさん／マイノート歴3年／6冊目）

今の会社と働き方に悩み始めた頃、いいこともイヤなことも含めて心の中のことをノートに書き始めました。書くことで自分の気持ちを俯瞰できるようになり、はじめは「会社を辞めたい」「好きなことで起業しようか」と思っていましたが、ノートで自分の心に向き合ううちに、「会社で働くことも好き、でも好きなことも仕事にしたい」という理想に気づき、パラレルワークという道を見つけることができました。この夏からパラレルワークを始めます。

（Sさん／マイノート歴4年／3冊目）

独身の頃は幼稚園教諭として働き、結婚を機に退職。職業柄、子どものことはわかっているつもりでしたが、年子の娘を出産し現実はつらく必死な毎日。ママ友などもできず、苦しくなってフルタイムで仕事復帰しました。でも家事と育児のバランスが難しく、心はいつもモヤモヤ。そんなある日、友達が家の近くのコーヒーショップに連れて行ってくれました。そこの素敵な店主さんや、なんとも言えない温かい空気感を「絶対に忘れたくない」と感じ、帰りにノートを買いに行きました。それがわたしのマイノートの始まりです。子育てや仕事で疲れ切ったわたしが、なぜか涙が出るぐらい前向きになれたこと。友達と話して、もう少し頑張ってみようと思ったこと。一気に書きました。そしてこのとき、「わたしもママたちの力になりたい！」「ママたちが気軽に遊びに来られて、ホッとひと息つけるような場所をつくりたい」と思うようになりました。自分の経歴を活かして話を聞いたり、子どもが楽しめる場所をつくったり、誰かの力になれると思ったと同時に、それはわたし自身や娘たちの人生にもプラスになると思ったのです。今でも、「やっぱり無理かも」と思ったときには初めて書いたあのページをめくり、あの日の自分にパワーと勇気をもらっています。

（Sさん／マイノート歴2年／3冊目）

Emiさんみてね

わたしのマイノート

Yさん
会社員

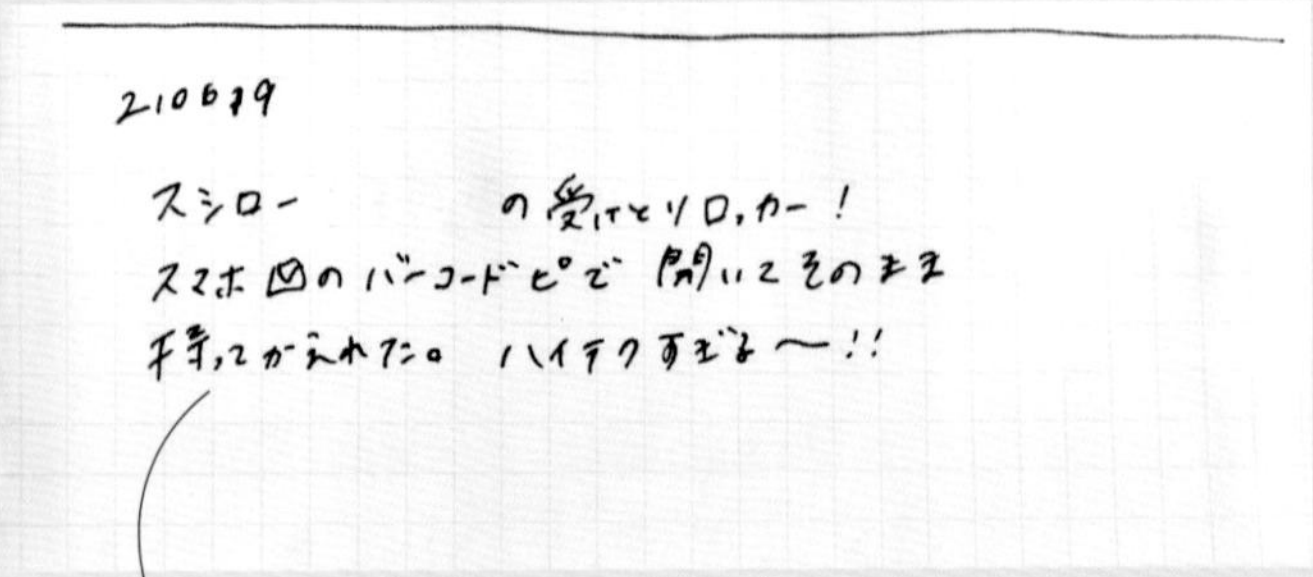
210619

スシロー　の受けとりロッカー！
スマホ　のバーコードピで開いてそのまま
持ってかえれた。ハイテクすぎる〜!!

外出先で気になった新しいシステムを
記しているのはすばらしいですね！

もしもプラスするなら、その気になったシステムを
「自分の会社で活かすならどうしたらいい？」を
考えて書くのがおすすめ。
その際に、かかるコストや実現するかどうかは考えず、
ただの妄想なのだから気にせず自由に考えてみるんです。
もしかしたら会社で急に「新ビジネス考えてるんだけど、
何か案ある？」と言われたときに、
マイノートを開いてパッと提案できるかもしれませんよ〜。

アドバイスを受けたYさんの感想

なるほど！ 自分の会社でロッカーを活用するなら……を妄想したら、スシローのシステムのどこがいいと思ったのか？ も考えることができたので、自然と深掘りできたような気がします！

7

マイノートで子育て・夫婦関係が変わる

忘れたくない
子どもの言葉を残せる

「お母さん昔、学校の先生になりたいと思ったこともあったよ～」と言うと、「え～、そしたらわたし、やきもち焼いちゃうかも」と言ってくれた娘。

「いつまで一緒に手をつないでくれるの？」と聞くと、「ぼくが65歳まで～！」と言った息子。

12年子育てをしてきた中で、忘れたくない子どもの言葉がたくさんあります。かわいいなと思うことも時が経てば忘れてしまうので、わたしは心が動くたびにマイノートにメモ（時々メモし忘れることも、もちろんあります）。これから訪れる子どもたちの思春期にも、昔の素直な言葉を見返して励まされるのではないかな、と思っています。

育児日記との書き分けについて聞かれることもあります。わたしは写真アルバムにL版の育児日記カードを毎月挟み、その月のイベントや出来事を書き込み。細かいエピソードや子どもたちの言葉はマイノートに書いています。

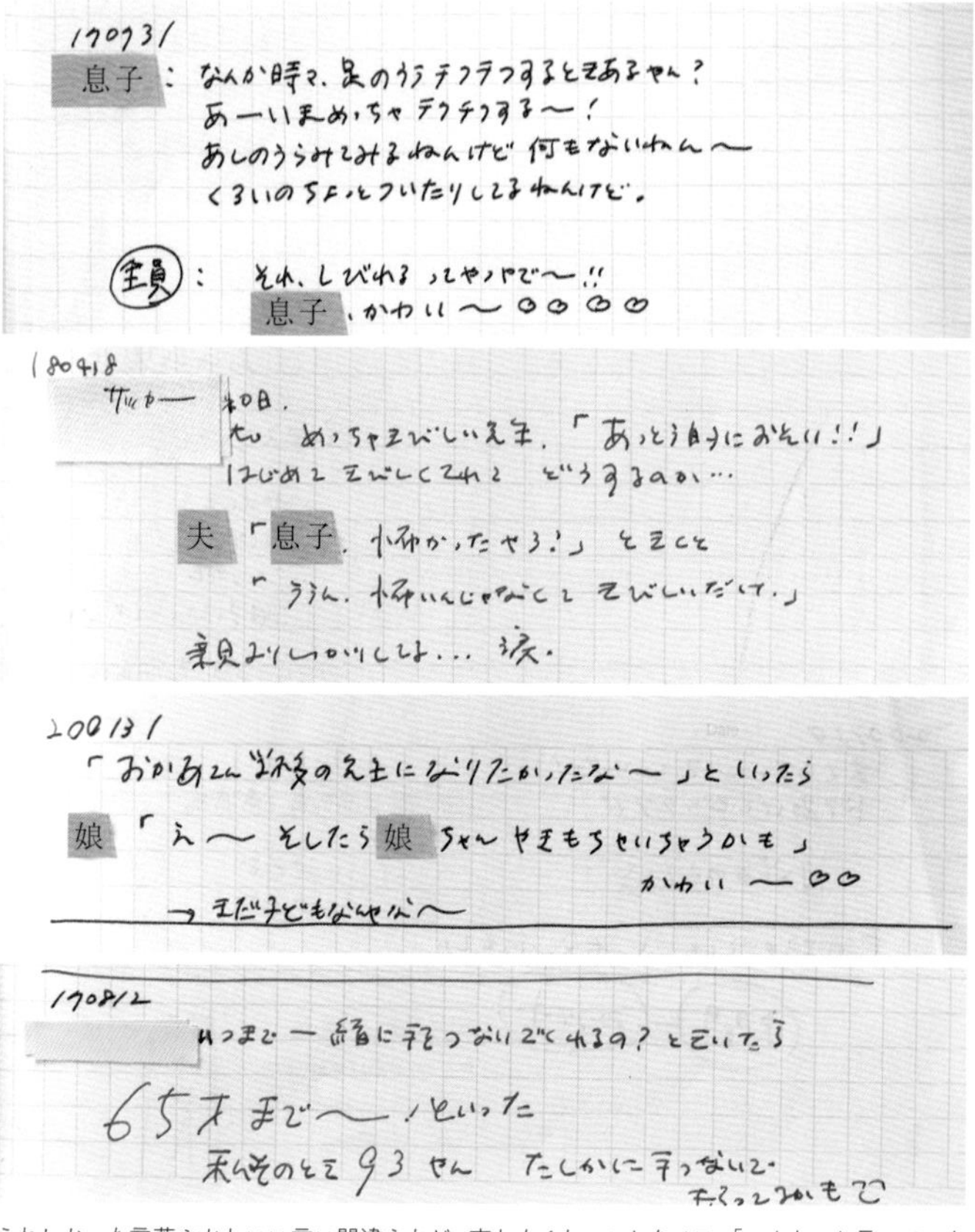

うれしかった言葉やかわいい言い間違えなど、忘れたくないことをメモ。「こんなこと言っていたんだよ～」と本人に伝えると喜びます。書く時間を短縮するために、名前はイニシャルを書いて丸で囲む表記にすることも。

子どもにもらった手紙や絵を残せる

母の日や誕生日にくれるうれしい手紙。「お母さん、これあげる！」と小さい頃に時々くれた折り紙。置き手紙に書き込んでくれたかわいいイラスト。どこに置いておこうかな〜と、引き出しや箱にしまうとついそのままになりがちです。マイノートに貼り付けて、そのときの気持ちも一緒にメモしておくと、あとから見返したときにそのときの感情が蘇るんです。

「子どもにもらった手紙を全部貼っているんですか？」と時々聞かれますが、「これは！」と心が動いたものだけに厳選しています（とりあえず書いたな〜という手紙もありますよね笑）。

マイノートに貼ると読み返す機会が多くなり、子どもたちも「手紙を大事にしてもらっている」とうれしい様子。落ち込んでいるときに子どもからもらった手紙はパワーをくれます。見返して「また頑張ろう！」と思わせてくれるのが、マイノートです。

母の日
お母さんへ
母の日だね〜!!
今年、お母さんと同じしゅみができたよね。それは…宝塚
今はコロナで、行けてないけど、
大阪とか、元町行こうね!!
じゅくのテストで だった時
ほめてくれてありがとう
お母さんのダンスが好きだよ。また、トゥワイスのクラクラ教えてね。うまくおどれるようにがんばるよ。
ありがとう
より
おいしいごはんを作ってくれてありがとう。(からあげ、とり肉の焼くやつ、カレー
サッカーを応えんしてくれてありがとう。
行けるようにがん
るね!
より
協力の
OURHOME
お母さん
毎日、
ありがとう。お母さん

子どもを認める声かけができるようになる

「子どもが何をしていても、イライラしてしまう。もっとこうしてほしい、どうしてできないの、と思ってしまうんです」。時に深刻なお悩みを寄せていただくことがあります。ご主人が単身赴任中、ひとりで家事育児を頑張っておられるお母さん。お話を伺うだけでも、つらい思いをされているのが伝わります。ただ……環境や子どもの個性、目の前の何かを変えようと思っても、すぐには変わらないものですよね。たったひとつ変えられるのは、「自分の気持ち」。わたしにできることはないかな？と、マイノートを書くことをご提案してみました。まずは自分のできたことを書く。それからお子さんのいいな！と思うところをメモしてみてください、と。はじめは「時間がないし……」とおっしゃっていたのですが、その後メッセージをいただきました。

「時々自分の思っていることをメモするようになりました。最近は、子どもが話した一言なんかもメモ。子どもをかわいいなとか、いいところもあるなって思えるようになり、マイノートのおかげです」と！

「最近着替えを頑張っている」「今月一度も風邪ひかなかったな」など、一見普通に思えることも立派な「認めてあげること」につながるはず。わたしは、子どもたちが小さな頃から、子どもの様子をメモしてきました。最近口答えできるようになってきたこと（お！頭の回転速くなってる！）や、近所の方に大きな声で挨拶しているのを見かけたとき（恥ずかしくなくなったんだね！）など。もちろんそのときに褒めることもあるのですが、マイノートを見返して目に留まったタイミングで、「あのときの挨拶すごくよかったよ～。お母さん実は見てて、マイノートに書いてたよ」と言うと、すごくうれしそうなんですね。そんなふうに、思い出して褒めてあげることも、子どもを認めてあげる声かけなのではないかなと。

日々の中では、もっとこうなってほしい！と思う瞬間もありますが、時々マイノートを振り返って、ほかの誰かと比べずに、自分の子どもの成長を喜べる親でありたいなと思っています。

子どもの「好き」や「得意」がわかる

「わが子の好きなこと、得意なことを見つけてあげるのが難しいです……」。よく耳にする親御さんのお悩み。子育てをしている中では、その子に「自分にしかない何か」を見つけてあげる（子ども自身で気がつく）ことができたら幸せですよね。中には幼稚園の頃からその力を発揮できている子もいれば、小学校高学年になって何かに出合う子もいるかもしれません。そのタイミングはまちまちだけれど、ひとつ、親としてできることは、日々の子どもの小さな気づきをメモしてあげること。

たとえば、わが家の娘は何気なく観たCMの音楽を、すぐに音程をはずさずに歌うんです。かわって息子は、あらら……という音程でして（それもかわいいん

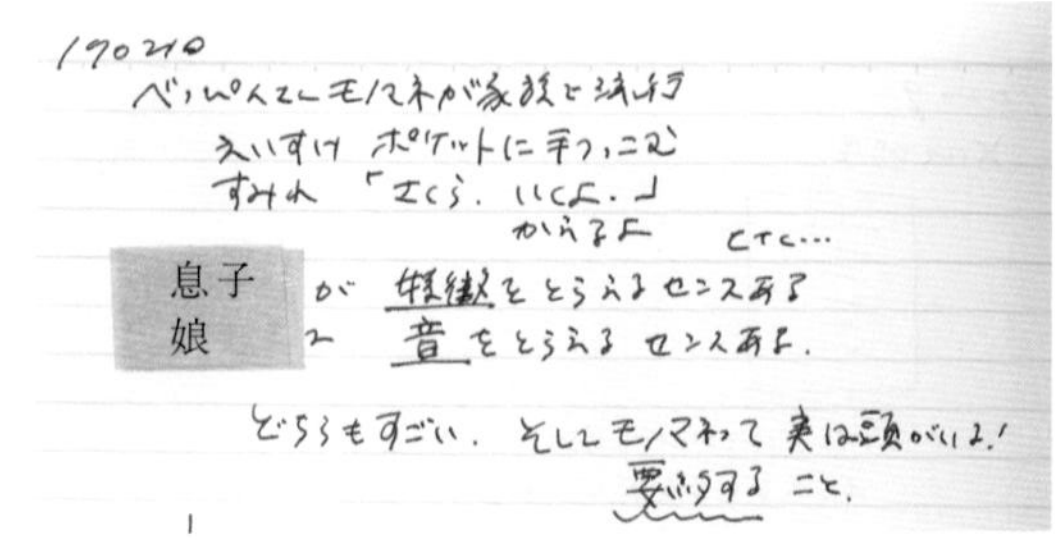

子どもたちがドラマのものまね！ それぞれ何が得意なのかをメモ。

ですがね)。こんな小さな気づきが何になるの？　と思われるかもしれませんが、娘の立派な「得意なこと」だと思っているんです。そういったメモから、「音程をはずさず歌える↓歌の習い事もいいかも？」と書いたり。休日にどこ行こうかな、と思ったとき、そのマイノートから「カラオケに行ってみよう！」とつながるかもしれません。ちなみに実際に娘は、そこからギターを夫に習って練習し、歌詞を書いて曲をつけ、非公開でＹｏｕＴｕｂｅにアップ。今はそれが何につながるかはわからないけれど、小さな気づきが子どもの何かに火をつけてあげるきっかけになることも。

　お子さんの得意なことがパッと浮かばなければ、日々の中で「ままごとでお母さんの役を上手にやっているな」「動物のテレビ番組に興味があるみたい」そんなちょっとしたことをメモしてみてください。数年後、習い事を考えるとき、はたまた学校の進路を選ぶとき、子どもが困ったらそっとそのエピソードを引き出して、アドバイスしてあげることができるかもしれませんね。

子どもと一緒に
マイノート

「マイノート=自分の『好き』を爆発させる！」

これは先日オンラインレッスンに参加してくれた小学生がメモしてくれた言葉。ありがたいことにわたしの大ファンでいてくれるようで、ママと一緒に参加してくれたんですね。

そのお子さんがマイノートをはじめたきっかけは、どうやら「ママがノートを書く背中を見ていたこと」だそうなんです。

よくいただくご相談に「子どもにマイノートをはじめてほしいけれどなかなか……」というお声があります。まさに答えは「背中を見せよう！」ですね。

わが家の12歳になる双子は、4～5歳の頃、マイノートを書くわたしの隣で、チラシを切って貼るところからスタートしました。今ではそれぞれ5冊程度。びっしり字を書くことも増えてきました。

わたしが気をつけていることのひとつは、「親は子どもが書いたことに評価をしない」こと。

誰の目も気にせず、自分の「好き」を最大限「好き」と言える場所。それがマイノートです。学校や社会に出ると「こんなこと言ったら変かな？　恥ずかしいかな？」ということがたくさんあるはず。でもマイノートの中では人目を気にせずに、自分の「好き」を爆発させていいと思うんです。なので、親はその子どもの気持ちに評価をしない。マルをつけたり添削したりすると、親の目を気にしながら書くようになる気がします。

これから社会に出ていく子どもたちは、わたしたちの時代とは違って、働き方にも大きな変化がありそうです。そんなとき自分の気持ちを吐き出せる場所をひとつもっておくと、強くなれますよね。

サッカーに夢中の息子。コーチにもらったアドバイスを書いて復習に使っているよう。日本代表の選手のスパイクの銘柄を全部控えたりもしています。

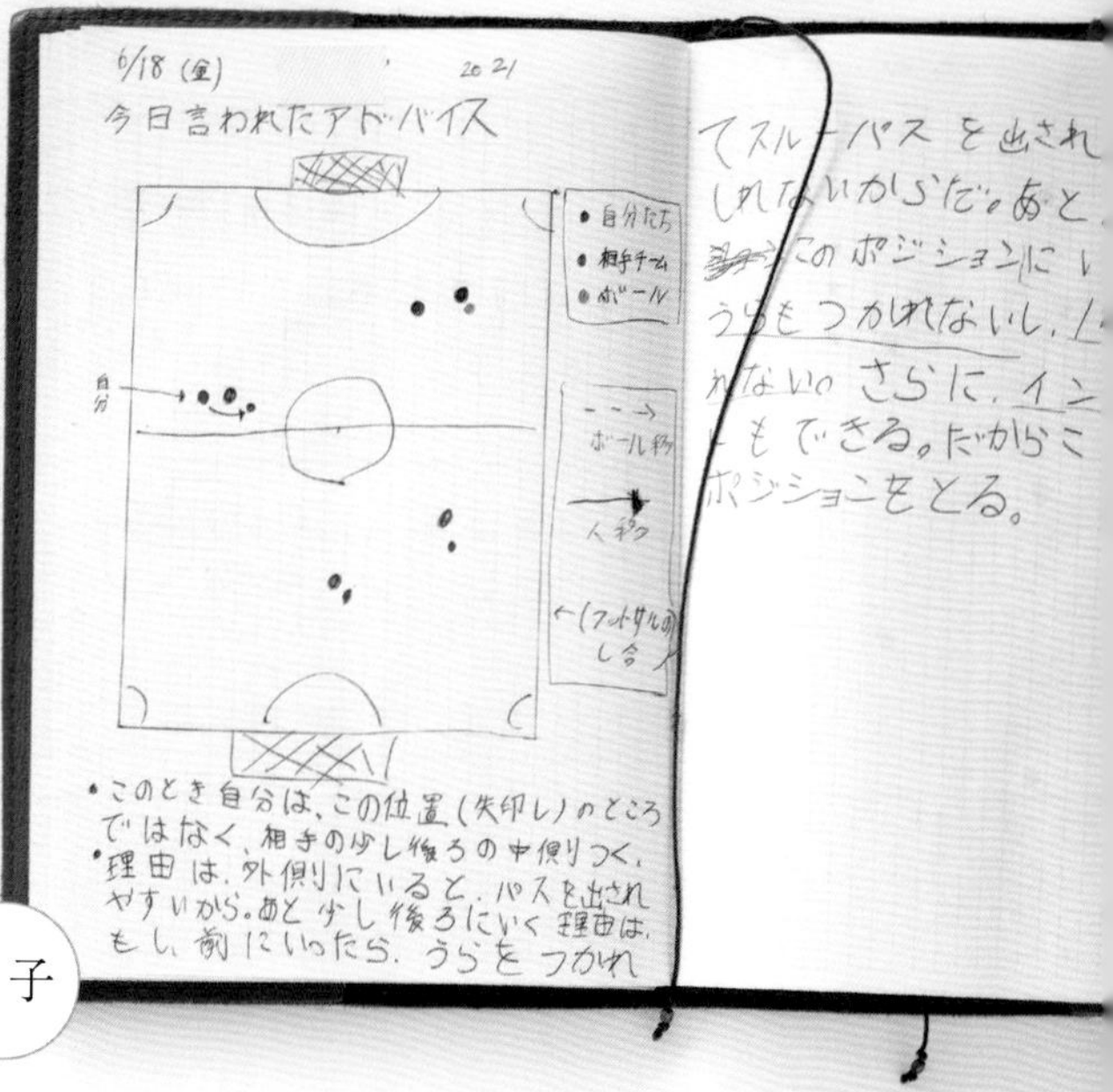

息子

娘

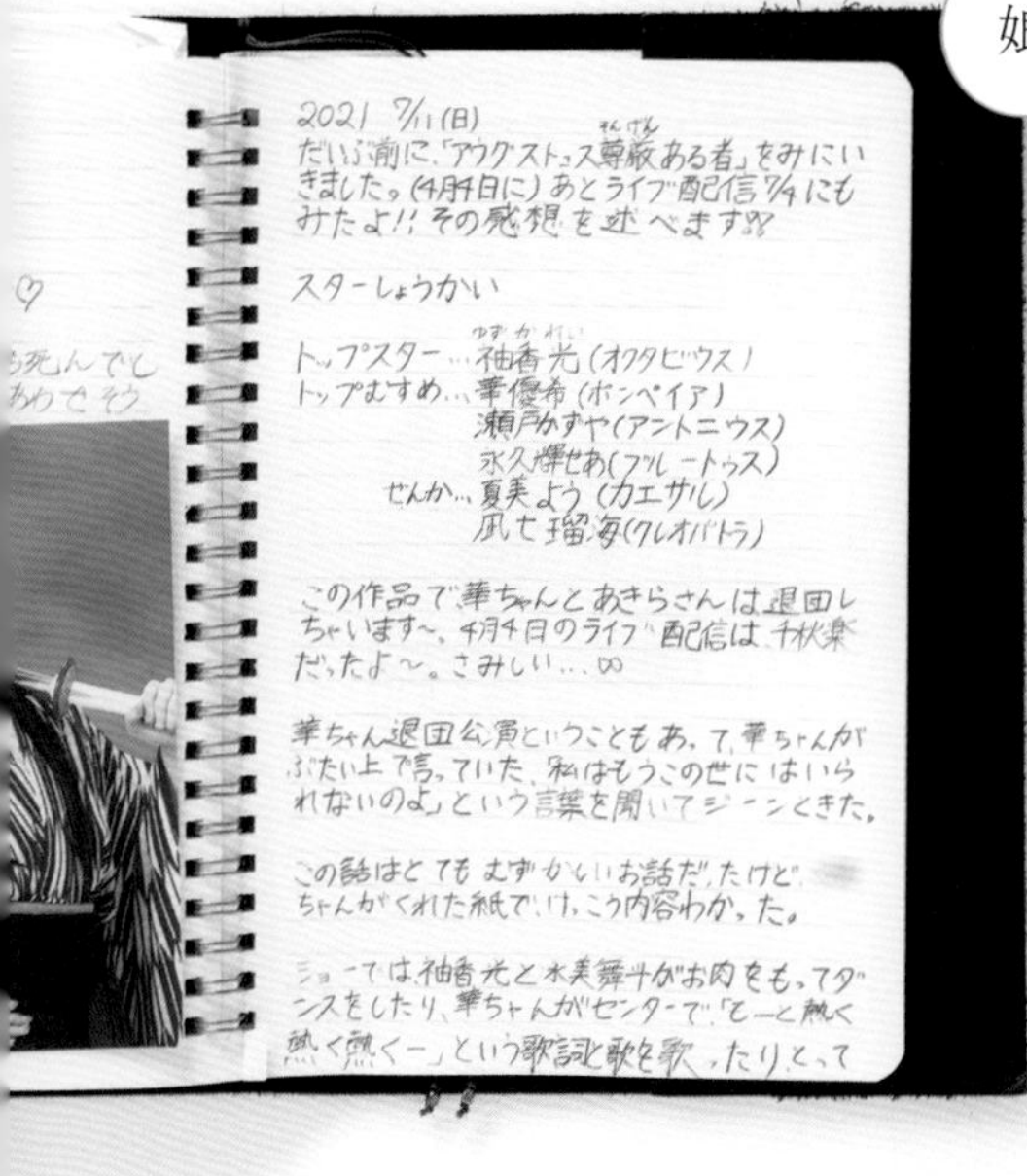

娘が書くのは、大好きな宝塚歌劇やファッションのことが中心。最近はYouTuber口調で書いていて、時代を反映していて面白いなあと思います。

パートナーのいいところを5つ書き出してみる

「パートナーの〝いいところ〟を書き出してみてください」そう言われたら……戸惑いますでしょうか（笑）？ 長年一緒にいると、以前はあんなに大好きでいいところばかりが目立っていたはずなのに、ここ最近は〝直してほしいところ〟ばかりが目につく……。マイノートを書いておられる方の中にはパートナーの愚痴ばかりで落ち込みます、とおっしゃる方も。

以前レッスンで同じ質問をしたときに、みなさんはじめは答えに詰まったものの、ペンを持って書き出してみると……「ごはんを残さず食べてくれる」「風邪をひかない」「ずっと健康でいてくれる」「仕事を頑張ってくれている」など、普段は当たり前だと思っている小さなことへの感謝がたくさんだったんです！ 書くことで「ありがたいな」と感謝できるんですね。書き終わる頃には、「早く夫に伝えたいです」とおっしゃった方も。とてもいい時間でした。

ちなみにわが家の夫はというと、もちろん直してほしいと思うところもあるのですがひとまず横に置き（笑）、いいところを考えて書くと、とにかく子どもに好かれるところ！ 公園でも気づくと知らない子と遊んでいたり、ときには近所の子がインターフォンを押して夫を遊びに誘いにきてくれたことも。

ノートに書くことで少し客観的に見つめられる。時々ノートに書いたことを夫に話すと、子どもと同じように喜んでくれます。

まずは5個。マイノートを開いてパートナーのいいところを考えてみる。そうしたら、改めていいところに気づいたり、小さなことに感謝ができるんじゃないかなと思います。

夫婦ゲンカの冷静な振り返りができる

モヤモヤ、モヤモヤ、モヤモヤ……年に数回訪れる、不穏な空気。わが家も例外ではありません。

その原因は食洗機に入れずにコップを置いたままだったとか（わたしが注意されるほう……）、たいしたことのない小さな家事の仕方の行き違いや、もはや思い出せないくらいのことも。結婚生活15年も経てば、だいたいが同じループでケンカしていることが多いです。

わが家の場合、マイノートを振り返ってみると、一番多いケンカの理由が、車に乗っているときの「道に迷う」件！お互いに極度の方向音痴で、新婚当初は古いカーナビだったこともあってか、よくケンカになっていました。でもそこから、「人を責めずに仕組みを変えていこう」と、どれだけナビが遠回りを示したとしても、ナビにしたがっていこう！と夫婦でかたく誓っているんです。

これもマイノートの積み重ねによって「よく起こるケンカの原因を知る→改善策を考える」に助けられています。日本では今、

3組に1組が離婚しているそうです。調べてみると離婚理由の1位は、性格が合わない、すれ違い。もとは大きな何かがあったわけではなくても、日々の小さなモヤモヤの積み重ねが、ゆくゆくは修復できない溝になることもあるかもしれません。

ケンカをすることが悪いわけではなく、その小さなすれ違いをお互いに歩み寄って埋める方法があれば大丈夫なだけ。そのときにきっとマイノートが役立つはずです。

そうそう、時々、「ご主人にマイノートを見られたら困りませんか？」とご質問いただくのですが、「見て！」とは決して言いませんが（笑）、見られたとしても、ケンカの最後は前向きな内容だったりするのでわたしは大丈夫かなと。見られてしまうことよりも、モヤモヤを書かずに、向き合わずにそのままにしておくほうがよっぽど怖いことなのではないかなと思っています。

デジタル派から紙に。夫のマイノート

「字が汚いから、俺はスマホにメモするわ」と、マイノートはずっとデジタル派だった夫。それが一転して紙のマイノートをはじめたのが5年前。ライブで手にしたオリジナルテープや、フリーペーパー、仕事のイメージ、子どもにもらった手紙もパッと貼れる！と紙の便利さを実感した様子。当初は、「1冊にまとめるほうがマイノートの良さを感じられるよ」と伝えたものの、「仕事用」「プライベート用」と2冊に分けて書いていたんです。ただ、やっぱりパッと頭に思いついたとき、両方に関係あることも出てきて、どちらに書こうかと悩むように。結局今では1冊にまとめる、で落ち着いたようです。

今では、よくマイノートを開いて何か書いている姿を見かけるようになりました。わたしよりマメにスクラップしたり、仕事のメールを印刷して貼ったりしています。マイノートに書いたこと、考えたことなどもよく話してくれるので、以前よりもお互いに「今考えていること」を伝え合う時間が増えてきたように思いま

雑誌の切り抜き、メールをプリントしたものなどをマメに貼っている夫のマイノート。

す。

さてどうしてはじめることになったのかを聞いてみると、わたしと子どもたちが楽しそうに書いていたから、と。なるほど！　口で伝えるよりも姿を見てそう思ってくれたのですね。

もしパートナーにもマイノートをはじめてほしいと思われる方がいたら、ぜひリビングなど目にするところでマイノートを広げてみてくださいね。

年始に家族で一年の目標を書く

年のはじめには家族それぞれマイノートを広げて「昨年の目標の振り返りと、今年の目標」を書くのがいつからか恒例行事に。

といっても、大きな夢！のようなものではなくて、

「お味噌汁をつくれるようになる（娘）」

「サッカーのプレイ中に、プラスの声かけができるようになる（息子）」

「週に3回お弁当づくり（わたし）」

「体幹トレーニングを毎日やる！（夫）」

など日々の小さな目標をたくさん書いていきます。横目でチラッとのぞいてみると、「髪の毛を毎日きれいにクシでといて学校に行く」なんて書いてあり、かわいいな～と思うことも。

ポイントは「一年の目標はいつもと場所を変えて、考えること」。

家の中で、家族と過ごすリビングで考えるとなると、なかなかテンションが上がりません。「今年はもういっか」となってしま

いそうで。

そこでわが家は、お正月休みの旅行中にホテルで考えるのが毎年のきまりに。旅行が難しい方も、家から少し離れたカフェや、公園の芝生で、などもいいですね。いつもと違う場所で、少し自分の暮らしを俯瞰して、今年の目標を考えるというのは、背中がシャンとするような気がするのです。

家族が書いた内容に口出しは厳禁！ わたしだって、「お母さん、週3回なんてお弁当ほんとにつくれる？」とか言われたらムスッとしちゃいますものね（笑）。自分なりの目標は自由！ ひとつだけアドバイスをするとしたら、具体的な数字をキーワードとして入れること。「お弁当をつくる」より、「お弁当を週3回つくる」のほうが具体的ですよね！

家族が自分なりに目標をもって暮らせて、家はほっとできる場所に。毎年の恒例行事はこれからもできるだけ続けていきたいなと思っています。

お悩みやご質問にＥｍｉが回答！

マイノート一問一答

Q

マイノートを始めたきっかけは？

22歳で就職したのが企画の仕事。会社でなんでもノートに書きなさい、と言われ、それがきっかけでＡ５サイズのノートに書きはじめました。

Q

サイズ感に悩んでいます。大きいバッグをもちたくないのでＡ５にしているのですが、小さすぎると感じることも。

あまり考えすぎずに、一度、少し大きめのＢ５サイズでもトライしてみては？　やってみたら、「やっぱり大きすぎる、Ａ５が便利！」となるかもしれないし、「Ｂ５は書きやすくて最高～！」となることも。やってみれば気づくことがあるかもしれません。何より大事なのは、形を揃えることよりも、気づきを残すこと、です。

Q

マイノートに日記はつけていますか？　また、毎日書きますか？

日記は、書いていません（10代の頃は書いていました！）。マイノートは毎日ではなく、「心が動いたこと」を書く、と決めているので、心が動いた日はたくさん書きますし、まったく動かなければ書かない日もあります。

Q

自分が「いいな」と思うものに偏りがあります。いろいろなジャンルのことを1冊にまとめられるのがマイノートのよさだと思うのですが、幅広い事柄に目を向けるにはどうしたらいいですか？

浅く広くではなく、ひとつのことを意識して深められるのは立派なあなたらしさだと思います。心が動いていないことを無理に広げる必要はなく、本当に動くときは、自然とやってくるのではないかな～と思います。

Q

昔と今のノートを比べて、ここが大きく変わったな～、というところはありますか？

20代の頃は、新聞や雑誌をよく読んでいたので、切り抜きがたくさん。でも、今はスマホを見て感じることが多く、一日に入ってくる情報量が増えたなと時代の流れを感じます。

Q

「これは絶対マイノートに書くようにしている！」ということ、逆に「これはあまり書かないようにしている」など、Ｅｍｉさんのルールはありますか？

飲み会の次の日は必ずマイノートに面白かった話、ためになった話を書きます(笑)！　書かないようにしていることは、ただの愚痴だけを書くこと、です。イヤなことがあったとしても、そこから何かを得られないかな～と意識して書くように。そうすると、愚痴からも得られることがたくさんあると気づけます。

Q

過去のマイノートの収納方法が気になります。わが家は収納スペースが限られているため、気に入ったマイノートだけ残してあとは処分という方法もあるのかなと。まだ冊数が少ないですが、そのうち増えたらどうしようかと思っています。

わたしは70冊すべて残しています。服や靴を整理してでも、マイノートの場所は確保したいな～と思っています。でも、どうしても場所がない、という方は、お気に入りだけ残して、あとはスキャン……もあるかな。ただ、貯めてきた心の貯金を、今「必要か・必要でないか」を判断はできないのではないかな、と思っているのが正直なところです。

Q

書いている途中で子どもが泣いたりして中断した場合、またノートを開いたときは適当にスペースを空け、線を引いて次の話題に移るのですが、空けたスペースがずっとそのままになってしまう、もしくは小文字でギュウギュウになってしまうのが気になります。Ｅｍｉさんは途中でもスペース空けずに次に進まれていますか？　なにかアドバイスがあったらうれしいです。

はい、わたしは、スペースは大きく空けずに次の内容を書きます。おっしゃるように、「空いたその空間」が妙に気になるんですよね。考えを出せなかったような気持ちになって。なので、また新たに考えたくなったときは、新しい場所に書く！　と決めるとすっきりしますよ(経験談)。

Q

置き場所をどうやって決めたらいいですか？　外出先で書きたいからバッグにも入れたいけど、キッチンにいるときはキッチンにも欲しいです(でも1冊にまとめたい)。

なるほど。では、外出先かキッチンどちらかよく書くほうをマイノートにして、そうでない場所では「大きめの付箋に書く」、と決めるのがよいかもしれません。あとで、貼ってまとめる！　です。順番の前後を気にせず、まとめてあればそれでＯＫ！

Q

頭の中ではいろいろなことが浮かぶのに、ノートに書こうと思うとうまく表現できません。

なるほど～。では、文字ではなく、そのイメージを絵にするのはどうでしょうか？ ＯＵＲＨＯＭＥのスタッフにも、文字より色や絵で表すほうがしっくりくる、という者がいますよ！

Q

お子さんが小さい頃、保育園の連絡帳に書くこととマイノートに書くことはどう区別されていましたか？

保育園の連絡帳を書いていた時代は、かわいい言い間違いや食べ物の記録などは連絡帳に書いていたので、マイノートには、書ききれないエピソードや週末のことなどを書いていました。

Q

「うれしかった」「素敵だった」「すごい」など、同じような言葉ばかりになってしまいます。

一度、マイノートの表紙に「うれしい、素敵、すごいＮＧ」と書いてみるのもいいかも？ 子どもの読書感想文でもそんなふうに書くやり方があるようです。「うれしい、それってどんな気持ち？」「すごいって、何が？」と自分に質問してみてくださいね。

Q

日記みたいになってしまいます。簡潔にパッとひとこと書きたいのに、「あ～なって、こ～なって」、とだらだら長くなってしまいます。だからあとから振り返ったときに、内容が目に飛び込んでこない……。

よくいただくご質問です。ぜひ、今日の出来事を箇条書きで3つ！ など、練習してみてください。だらだらっと書く、ということは、誰かに何かを伝えるときも、つい、だらだらっと話すクセがついている方も多いかも？ 箇条書きの意識をすると、話し方も変わってきますよ！

Q

子どもがつくってくれた折り紙を貼っていたら、喜んでたくさんくれるようになりました(笑)。うれしいのですが、折り紙だけのノートになってしまいそうなのでどうしようかと思っています。

それは本当～に心からうれしい、と思える、心が動いた折り紙でしたか？ たくさんもらった中でも、ピン！ とくるものだけを自分のマイノートに貼って、でもお子さんが少しかわいそうだから、別で「折り紙専用ノート」をつくって貼ってもいいかもしれませんね。ただし、お子さんにはママのマイノート、ということにしておきましょう～。

Q

ノートの中で「ここは何度も見返したい」という部分はどうしていますか?

硬めのプラスチックタイプの付箋を貼って目立つようにしています(紙の付箋は、はがれやすいので)。あとは、赤丸で囲んだりもします。

Q

書いたら書きっぱなしになることも多いので、マイノートに書いたことをもっと行動に移せるようになりたいです。書き方にコツがあれば教えてください。

p126でもご紹介したのですが、5W1Hを意識して、さらに具体的な数字で落とし込むようにすると、より行動につながりますよ!

Q

保管していた手紙やチケットの半券が出てきました。マイノートに貼りたいけれど時系列が崩れてしまうのが気になります。こういう場合、最新のマイノートに貼っていいのでしょうか?

時系列の崩れ、わたしも昔は気になっていましたた〜。でも!「今」見つけたのですよね? であれば、わたしは「今、その半券を見て感じること」とともに、最新のマイノートに貼ります。そう思うようになってからは、すごくすっきりしました!

Q

そのときの心身の状態などにより、マイノートに1ヶ月向き合えないときもあります。

無理に向き合わなくてもわたしはいいと思いますよ。書かなきゃ、と自分を追い詰めず、書きたくなったら自然と滝のように書きたいことが湧いてくることも。ただわたしの場合は、心が沈んでいるときに、手を動かし、文字を書いていくことによって心を落ち着ける、そんなふうに利用しています。

Q

双子のお子さんがマイノートを書くことで成長しているのを実感するのはどんな場面ですか?

息子はサッカーのことしか書いていないのですが、長年書き続けていると、できなかったことができるようになった変遷が見てとれるようです。「昔はこんなことしかできひんかったんや〜!」と話しているのを見ると、誰かに褒められるうれしさだけではなく、自分で自分を褒める、認めることができるのはマイノートのよさだなと思います。

Emiさんみてね
わたしのマイノート

Mさん
会社員

ママが手紙を大事にノートに貼っていること、
お子さんも喜ばれるでしょうね～。
もしプラスするとしたら、貼り付けるだけではなく、
そこに「もらったときの自分の感想」を
書いておくといいかもですね。
数年経って読み返すと、手紙を見るだけよりも、
そのときの気持ちのメモを読み返して
もっともっと情景を思い出すことができますよ！

アドバイスを受けたMさんの感想

いろんな場面で手紙をくれる娘たち。でも手紙をもらったときの気持ちや情景が思い出せなくて……。これからは自分の気持ちやシチュエーションも書いておこうと思いました。老後の楽しみにもなりそうです～。

8

マイノートを続けるコツ

書くことが面倒……よりも書かないことが、もったいない！

「日々の生活や仕事に追われて、マイノートをなかなか書けません。Ｅｍｉさんはなぜ忙しくてもマイノートを書けるんですか？」とご質問いただくことがよくあります。

正直なところ、エネルギー切れの日は「もう今日は書くの面倒だな……」と思う日もあります。でも、書かないと、そのときのリアルな感情の記憶はなくなってしまう。「今、貯金しないともったいないよ」と、もうひとりのわたしが横でささやくんです。実際に、心が動いたその日に書いた描写は、あとで見返してもありありと思い出せる。一方で、数日や一週間後に書いた内容は、それなりの内容に。そんなことを17年繰り返してきて、「書くことが面倒……」よりも「今書かないともったいない！」と思えるようになりました。

またその積み重ねた貯金によって、しんどいときやつらいときに自分が助けられたり、アイデアが湧かなくて困ったときに引き出したりできる。その経験があるからこそ、「書こう、残そう、

貯金しよう！」と思えるんですね。気がつけばマイノートはわたしの体の一部になっている、と言っても過言ではありません。

　これから始められる方は、数ページではなかなかその感覚を味わえないと思います。でも、１冊、２冊と増えはじめたときに、「あ！Ｅｍｉさんが言ってたのはこのことか！」とわかっていただけるはず。心の貯金は、きっと人生をより豊かにしてくれます。だまされたと思って、まずは１冊はじめていただきたいなと思います。

仕組み、ルーティン、宣言！習慣になるテクニック

マイノートを書く習慣がついている方はどんな方かと考えると「1．書く仕組みをつくっている」「2．毎日のルーティンとセットにしている」「3．まわりに宣言をしている」そんな方が多くいらっしゃるように思います。

ひとつめの「書く仕組み」はペンをとにかくいろいろな場所やバッグのポケットにもしのばせること、さらにマイノートを、自宅ならキッチンカウンター、会社ならデスクの上など、いつも過ごす場所に置くのがポイントです。ふたつめの「ルーティンとセット」、わたしは出社してすぐ書くのですが、たとえば朝のコーヒータイム、お昼休みなど、毎日やることとセットにすると続きやすいですね。そして3つめが「まわりに宣言」。宣言したからにはやらなきゃ……やろう！につながります。書いた内容を家族に話したりすると、一緒にはじめるきっかけにもなって、お互いの刺激になり自然と習慣化している、そんなお話をたくさんお聞きします。まずは、この3つを意識してみてくださいね。

マイノートが手元にないときは自分に1行メールを送る
屋外にいるときや寝る直前、マイノートを書けないときは誤字脱字があってもいいので自分宛にメール。「件名」に入れておけば、あとで見返すとき開封しなくても内容がわかります。

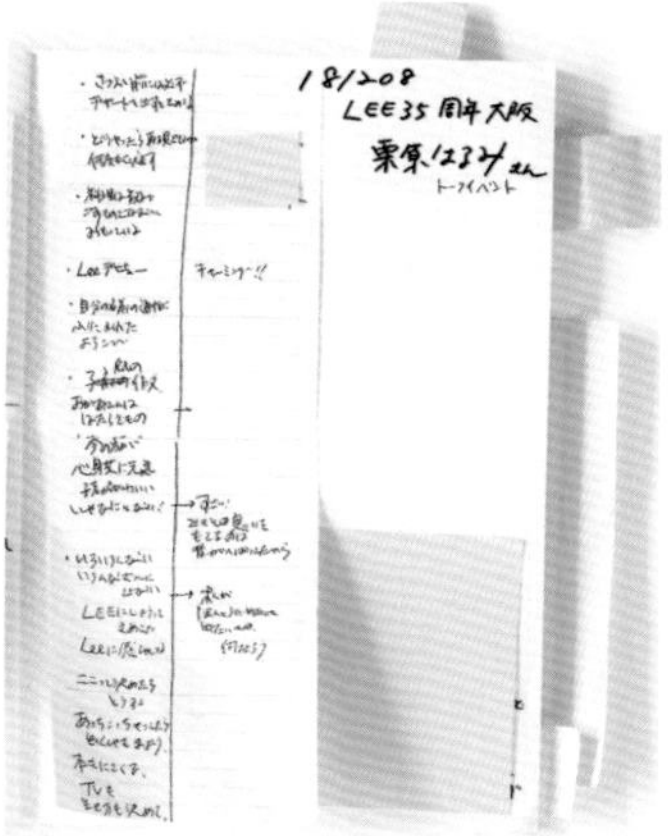

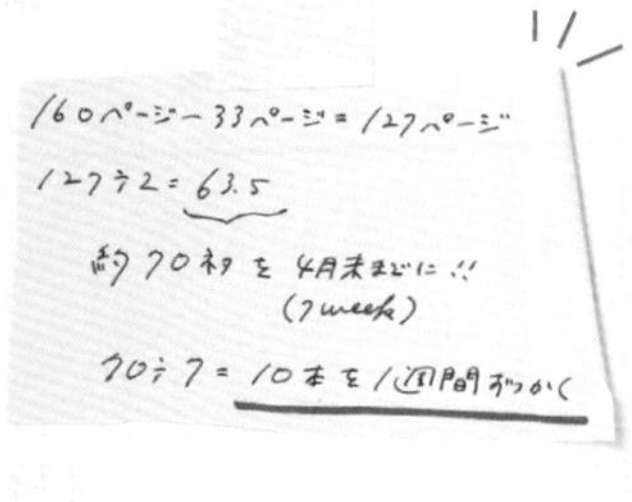

どんな紙でもいいから書いておく
付箋でも裏紙でも、なんでもいいから書く！
あとでマイノートに貼ればOK。

ハードルを低くする
3つのポイント

1. きれいに書かなくてもいい

マイノートに書くのは「原石」であり、「心の貯金」。内容は自分にさえわかればそれでＯＫ！　誰に見せるノートでもないので、「きれいに書こう」と思わなくていいんです。この本に掲載したわたしのノートはみなさんにぎりぎり文字を認識していただけるレベルのものを選んでいて、実際はもっともっとラフに書いているページがたくさんあります。

2. 毎日書かなくてもいい

マイノートは心のバロメーター。わたしも気持ちに余裕がないとき、物理的に書く時間がとれないときは何日も書けなくて時間があいてしまうことがあります。反対に、一日で2ページも3ページも書ける日も。でも、それは心の動きが自然と反映されたことです。無理して「毎日書かなきゃ！」と思う必要はありません。

p71でも書きましたが、しばらくマイノートを書けなかったことと自体が、自分の状態をチェックするいいきっかけになったりもします。

3. 忘れてしまったことはたいしたことじゃない

いざマイノートを開いて、「あれ、何を書こうとしていたんだっけ……」と忘れてしまうことも。

　わたしも時々ありますが、「忘れてしまったことは、自分にとってたいしたことじゃない！」と割り切っています（笑）。本当に大事なことなら、また自分の日に入ってきたり、そのうち思い出せることもあるはず。忘れてしまったことを無理に思い出すことに時間を使うよりも、今、心が動くこと、に集中したいですね。

「なんでなんで？」と
昔の自分にインタビュー

　ここまで1冊を通してご覧くださったみなさまの今のお気持ちを想像すると、「今からこんな書き方でスタートさせるぞっ！」と意気込んでいる方もいれば、「せっかく何冊も書いてきたというのに、ただ情報を集めただけのノートだった……あの頃に戻ってやり直したい」と少し後悔されている方もいらっしゃるでしょうか？

　でも大丈夫。すでに何冊かあるそのマイノートには、ご自分のピンッと心が動いたものが集まっていますよね。その昔のマイノートを開き、「なんでこれを貼ろうと思ったの？」「なんでこう思ったの？」と、当時の自分自身にインタビューする気持ちでもう一度マイノートを見返します。そのときぜひ、赤色のペンをもち、その気持ちを言葉にして上書きしていってみてください。自分の気持ちをちょっと深掘りする、そんな気持ちで。すると新たな発見があるはず。わたし自身も昔のノートを開き、「なんで？」とさらに深掘りする、そんなタイミングをもつようにしています。

Kさんの とあるノート

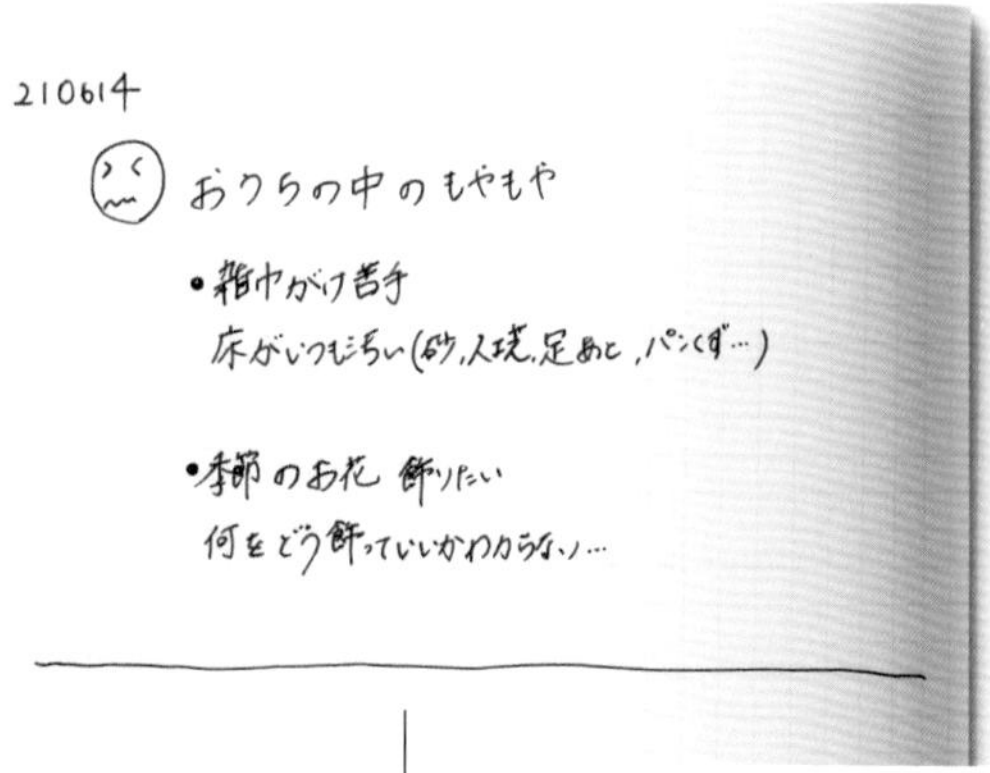

「なんでなんで？」

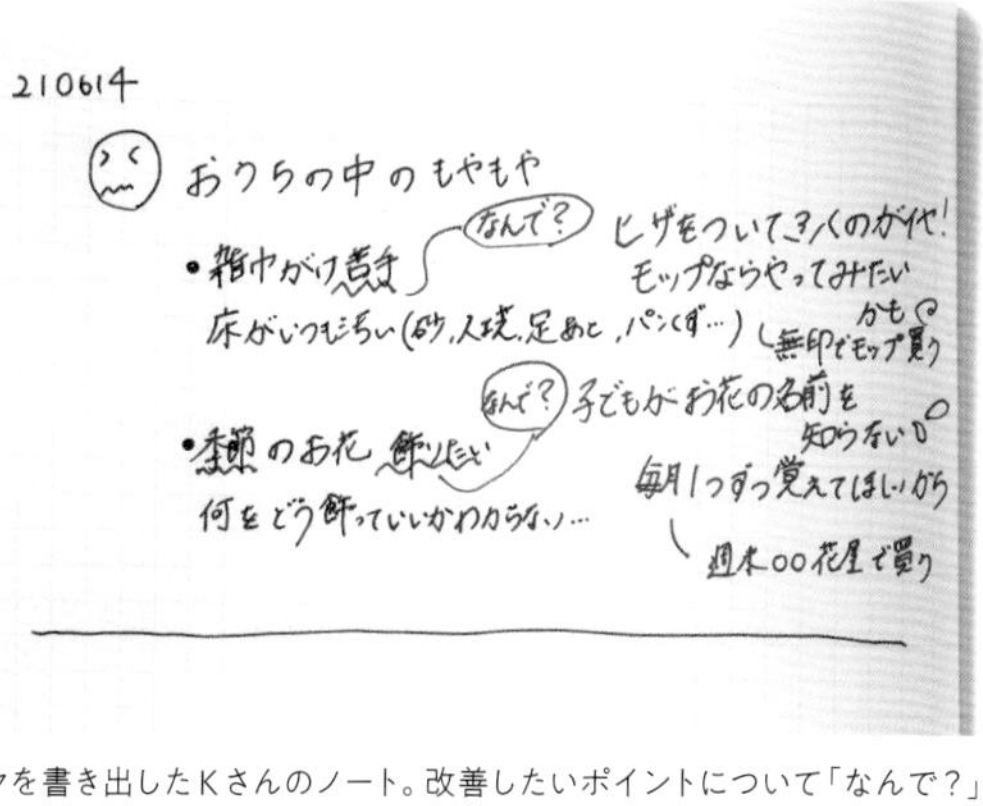

家のモヤモヤを書き出したKさんのノート。改善したいポイントについて「なんで？」をキーワードにさらに考えると、より具体的に行動できることが見えてきました。

生きてきた道にあった
たくさんのエピソード＝宝物を
マイノートに残そう。

OURHOME
A5 Note Boo
30 Writing pap
Recycled Pape
+
Materials Textur
Enjoy.
65
63
200414〜200815
OURHOME
OURHOME
Life magazine
57
ありがとうございます。
大切にお届けください。
66
Gift for you
OURHOME
200819〜210202
OURHOME
Life magazine
Vol.16
OURHOME
190802〜
Sato
Emi
Yamazaki
59
56
NOT

マイノートを書きたくなる31の質問

マイノートを書きたくなる質問を31個つくりました。
今日の日付の番号を選ぶのもおすすめです。

1
家族から言われて
うれしかったことは？

2
最近買ってよかったものは？
どうしてよかったの？

3
最近「素敵だな」と
思ったのはどんな人？

4
面白かったテレビ番組は？
何が面白かったの？

5
朝のニュース番組で
印象的だったことは？

6
お昼ごはんは何を食べた？
味や盛り付けはどうだった？

7

今のお気に入りの洋服やアイテムは？
なぜそれを選んだの？

8

過去のマイノートを見返して
気になったページは？

9

最近行ったお店でよかったことは？
接客、サービスなんでも！

10

読んだ本で気になった一文を書き出してみよう！
なぜ気になったの？

11

家事や仕事のモヤモヤをひとつ書き出してみよう！
解決策が見えるかも？

12

最近うまくいった仕事は？
何が理由でうまくいった？

13

家族について「いいな！」
と思うところをそれぞれ書き出してみよう

14

自分の好きなところは？

15

自分の苦手なところは？

16

5年後、10年後何してる？

17

今日一日を振り返って、印象的だった出来事はあった？

18

最近落ち込んだことはある？
そこから得た気づきは？

19

最近気になっている体のコンディションは？
（肌や歯の調子、腰痛、肩こりなど）

20

朝のルーティンを書き出してみよう！
もっと効率よく回せるかも？

21

好きな芸能人や著名人のいいところを書き出してみる

22

家族で行ってみたい場所やイベントは？

23

SNSやブログ、ネットニュースで気になった記事はある？　どう感じた？

24

家族の面白かった
一言や行動は？

25

最近、「ありがとう！」
と感謝したくなったことは？

26

どんなおじいちゃん・おばあちゃんになりたい？
芸能人にたとえてみるのも◎

27

家族や友達に好評だった
ご飯のメニューは？

28

雑誌や新聞、ネットニュースで
「面白い！」と思ったことは？

29

今、会いたいのは誰？
なぜそう思う？

30

身につけたい知識や、
習いたいお稽古ごとは？

31

「5分あったらできること」を
書き出してみよう

おわりに

今、ずっと原稿を書いてきたオフィスのテーブルの上でこれを書いています。マイノートを続けていくと、自分らしさがわかるよ、人生に役立つし、いろいろなことに興味も湧いてくる、いいことがいっぱい！と綴ってきたけれど、改めてこの一冊を通して、わたしが「いちばん伝えたいこと」って一体なんなんだろう？と。「そもそも、どうしてわたしは17年間もマイノートを続けてきたの？」と自分に聞いてみました。

毎日しんどいことや大変なことも、もちろんあるけれど、わたしはマイノートのおかげで「いろんなことがあるけれど、毎日面白い！」って感じているな、と気づいたんです。それは大きな夢が叶うとか、目標を追いかけるから面白い、ではなくて、小さな感動や小さな面白さを、たくさん気づけるようになったから。

子どもの頃はどちらかというと、心配性でいろんなことをマイナスに考えてしまうクセがあったわたしが、マイノートのおかげで、「小さなことに気づけるアンテナ」が張れるようになっていました。テレビを観ても、誰かと話しても、「世の中は面白いことで溢れてる！ 残りの人生も、もっともっと面白いことを見つけていきたい！」と思えているんだなと。そこで本書のタイトルを「続けるほど、毎日が面白くなる。もっともっとマイノート」としました。この本を読んでくださったみなさまにも、ぜひ「毎日、面白いな～！」をもっともっと感じていただきたいです。ノート1冊とペン1本ではじめられるとても簡単な方法で。

最後になりましたが、いつも応援してくださる読者のみなさま、レッスンにご参加くださったみなさま、書籍をつくるにあたってアンケートにご協力いただきました２０４名ものみなさま、この本に関わってくださったすべてのみなさまへ、感謝の気持ちを込めて。

２０２1年12月　Ｅｍｉ

Emi

「OURHOME」主宰。17年間70冊にわたって「マイノート」に記した心の動きやアイデアをもとに、暮らしの情報発信とオリジナルの商品企画を行う。兵庫県西宮を拠点に代表である夫とスタッフ18名と運営。その他、レッスン、雑誌連載、企業との共同開発など多方面で活躍。マイノートのつくりかたを伝えるレッスンは約2000名が受講し、「ワークを通して自分の気持ちを深掘りできた！」と好評。これまで『わたしらしさを知る マイノートのつくりかた』『揺れ動く今 みつけたい わたしの真ん中』（ともに大和書房）など著書18冊。累計54万部。2009年生まれの双子の母。

HP　ourhome305.com
ブログ　ourhome305yomu.com
インスタグラム　@emi.ourhome／@ourhome305

続けるほど、毎日が面白くなる。
もっともっとマイノート

2021年12月25日　第1刷発行
2024年 9 月25日　第2刷発行

著者
Emi《エミ》

発行者
佐藤靖

発行所
大《だい》和《わ》書房
東京都文京区関口1-33-4
電話03-3203-4511

印刷
歩プロセス

製本
ナショナル製本

ISBN978-4-479-78548-4
乱丁・落丁本はお取替えします
http://www.daiwashobo.co.jp
＊本書に記載されている情報は2021年12月時点のものです。

staff credit
撮影……仲尾知泰
デザイン……三木俊一（文京図案室）
イラスト……川合翔子、Emi〔コラム似顔絵イラスト〕
校正……横坂裕子
編集＆構成協力……杉本透子
制作……小宮久美子（大和書房）